20대부터 시작하는
부동산 공부

MZ세대 내 집 마련을 위한 투자 성공 방정식

20대부터 시작하는 부동산 공부

1판 1쇄 발행 2021년 8월 17일

지은이 포이
발행인 김형준

편집 이병철
마케팅 김수정
디자인 프롬디자인

발행처 체인지업북스
출판등록 2021년 1월 5일 제2021-000003호
주소 서울특별시 은평구 수색로 217-1, 410호
전화 02-6956-8977 **팩스** 02-6499-8977
이메일 change-up20@naver.com
홈페이지 www.changeuplibro.com

© 포이, 2021

ISBN 979-11-91378-06-1 (13320)

체인지업북스는 내 삶을 변화시키는 책을 펴냅니다.

MZ세대 내 집 마련을 위한 투자 성공 방정식

20대부터 시작하는
부동산 공부

포이 지음

체인지업
CHANGEUP

경제적 자유를 꿈꾸는
모든 직장인에게

부동산 투자에 관해 본격적으로 이야기를 풀어내기에 앞서 양해를 구하고자 합니다. 직장생활을 긍정적으로 생각하시는 분이라면, 이 프롤로그를 건너뛰고 1장부터 읽어주시면 감사하겠습니다. 다음의 이야기는 가치관의 차이에서 비롯되었을 뿐, 무엇이 옳은지 그른지 판단할 수 없습니다. 다만 저 또한 직장인으로서 겪은 감정과 생각들을 사회 초년생들에게 전하고 싶습니다.

과거 저는 여느 직장인과 마찬가지로 아침에 일어나 새로운 한 주를 즐겁게 시작하려고 다짐했습니다. 그러나 아직은 회사 갈 생각을 하니 마음이 불편합니다. 그럼에도 출근하고 업무를 시작하면 언제 그랬냐는 듯이 집중하게 됩니다.

회사에서 시간은 정말 빨리 지나갑니다. 순식간에 오전이 지나고, 오후를 맞이합니다. 그리고 퇴근 시간이 되면 오늘도 큰 문제 없이 하루가 지나갔다는 것에 안도의 한숨이 나옵니다. 그렇지만 회사를 떠올리면 마음이 왜 이리 무거울까요? 회사에서는 어느 순간 돌발적인 문제가 발생할 수 있어 항상 긴장의 끈을 놓을 수 없습니다. 골치 아픈 문제가 생기면 무척 괴롭고 힘들지만, 그럼에도 회사의 일원으로서 어떻게든 이 문제를 해결해내야 합니다.

또한, 문제를 잘 해결한다 한들, 회사도 하나의 사회인 만큼 대인관계에도 신경을 써야 합니다. 즉, 직장생활에는 주변 동료들과의 무난한 관계 유지, 사내 정치, 윗사람 눈치 보기, 성과에 따른 비교, 여기에 가끔은 인신공격이 포함되어 있습니다. 내 일만 하기에도 벅찬데 말이죠.

최근 들어 직장생활에도 크고 작은 변화가 생겼습니다. 그중 하나는 주 52시간 근무제로, 이 때문에 많은 직장인의 삶의 질이 많이 올라갔습니다. 저도 그전까지 평일에는 빨라야 9시, 늦을 땐 11시에 퇴근했었는데, 지금은 5시 퇴근이라니…. 정말 믿어지지 않았습니다. 저녁이 있는 삶은 꿈만 같았습니다. 이렇듯 주 52시간 근무제는 많은 직장인에게 큰 변화를 줬습니다.

이렇게 좋은 변화가 일어났음에도, 아직 저의 근본적인 문제들은 해결되지 못했습니다. 마음속 깊이 직장생활에서 겪은 답답함, 불만, 두려움이 여전히 남아 있었기 때문입니다. 아마도 직장생활 동안 느낀 저의 감정과 생각들은 대부분의 직장인과 큰 차이가 없을 것입니다. 많은 직장인이 직장생활의 어려움을 극복하며 나아가더라도 어느 지점에 막히고 말 것입니다. 이 힘든 직장생활을 언제까지 유지할 수 있느냐 자문하면서 말입니다.

탈출구를 찾으면서, 저는 오랜 기간 없어지지 않던 직장생활에 대한 나쁜 감정이 줄었습니다. 그건 바로 저 스스로 만들어낸 '자산' 덕분이었습니다. 부동산 투자를 한 지 어느덧 7년째입니다. 저는 자산 50억을 만들어냈습니다. 물론 여기에는 행운도 없지 않았을 겁니다. 하지만 저는 직장생활 이외의 모든 시간에는 오직 부동산 공부와 경제 공부를 하며, 지독한 저축과 투자를 병행했습니다.

이렇게 자산을 만들어가며 제 삶에는 많은 변화가 있었습니다. 눈에 띄는 변화로는 물질적인 자산이 늘어났다는 것입니다. 하지만 가장 큰 변화는 바로 제 마음과 행동이 바뀌었다는 것입니다.

저는 이제 회사에서 주어진 일 외에는 되도록 하지 않습니다. 윗사람 눈치도 안 봅니다. 예전에는 인신공격, 다른 사람과의 비교, 성과에 대한 비난으로 경쟁심이 유발됐고, 이런 일들이 하나하나 마음에 큰 상처가 되었습니다. 더 열심히 하려다 보니 작은 실수에 스스로 무너지고, 윗사람들 눈치를 더욱 보다 보니 정신적으로 더 피폐해져 갔습니다.

하지만 이제는 제 의견을 내고 누군가의 비난에도 잘 굽히지 않습니다. 저는 확실하게 이전보다 직장생활에서 많은 자유를 느끼고 있고, 스트레스받지 않고 좀 더 편한 마음으로 회사에 다닐 수 있게 됐습니다. 그러면서 성과도 좋아지고 이제는 윗사람들이 제게 함부로 대하지 못합니다.

이러한 자산의 이점을 알지 못하고, 아직 주변에 많은 동료가 힘들어하는 모습을 보면 안타깝습니다. 눈치 보며, 일을 더 잘하려고 발버둥질하는 모습을 보면 마음이 불편합니다. 본인의 삶을 주체적으로 살지 못하고, 회사에 의존하는 모습들이 대부분입니다.

회사의 스트레스에서 벗어날 수 있는 유일하고 가장 강력한 방법은 내가 가진 자산입니다. 내 삶에서 많은 시간을 차지하는 회사에서 스트레스 받지 않는다면 삶의 질은 더 높아지고 행복해지며, 사랑하는 가족들과 더욱 즐겁고 재미있는 시간을 보낼 수 있을 겁니다.

인생의 90% 이상이 직장생활이라 생각하고 여기에 너무 과하게 몰입하는 것은 좋지 않습니다. 회사라는 시스템에서는 좋은 일보다 안 좋은 일이 많을 것입니다. 직장생활에서 쏟아지는 괴로움, 예를 들면 불평과 불만, 힘겨운 경쟁, 자존감 하락 등은 본인뿐 아니라 가족 모두를 불행하게 만들 가능성이 큽니다.

자, 20~30대 직장인 여러분. 제 얘기를 읽어보고 직장인 투자의 중요성에 대해서 다시 한번 생각해보게 되셨나요?

나를 지킬 수 있는, 그리고 내가 컨트롤할 수 있는 지식이 있는 상태에서의 돈(자산)은 나쁜 것이 아닙니다. 오히려 내 삶이 평화로워지고, 행복감을 느끼며, 일상을 즐길 수 있도록 만드는 매우 중요한 요소입니다. 만약 직장에 큰 뜻이 있는 분이라면, 자산이 여러분을 더 높이 날 수 있게 도와줄 수도 있습니다.

부동산 투자가 필수가 된 시대, 이 책은 아파트 투자의 '본질'을 파헤치면서 20대부터 투자를 쉽게 접할 수 있도록 구성하였습니다. 하루빨리 부동산 투자를 열심히 공부하고 자신이 원하는 수준의 자산에 도달하여, 나 스스로 내 삶의 주체가 되는 행복한 삶을 살 수 있길 바랍니다.

차 례

프롤로그 경제적 자유를 꿈꾸는 모든 직장인에게   004

1장 사회 초년생에게 재테크는 필수다!

01 직장에도 졸업이 필요한 이유   016

02 직장을 제대로 졸업하는 방법   019

2장 아파트 투자 공부를 위한 개념 정리

01 개인 재무제표 관리   024
   손익 계산서   025
   재무상태표   029
   현금흐름표   033

02 아파트 투자 공부 방향   036
   시장 흐름 분석의 중요성   037
   시장 흐름 분석 방법   038
   지역 분석이란?   039
   투자자가 지역 분석만 하는 이유   039
   지역 분석만 하면 발생하는 문제점   040
   아파트 투자 공부의 핵심   041
   초보 투자자에게 하고 싶은 말   042

03 올바른 부동산 투자 방향   044

시세차익형 투자   045

월세수익형 투자   045

하이브리드형 투자   048

추천 투자 코스   049

3장   아파트 투자 사이클 이해하기

01 아파트 투자 결정의 3단계   056

02 기본 이론 및 핵심 용어 설명   058

상승·하락 흐름을 잡아내는 법   058

흐름이 생기는 기준   059

수요 공급 중 무엇이 더 객관적인 지표일까?   060

아파트 시장 안정화와 건설사의 관계   062

미분양이란?   065

미분양에 대한 오해와 진실   066

미분양 수치 분석 방법   067

미분양과 정부 정책과의 관계   069

전세가율 개념   072

전세가율에 영향을 주는 요인   074

03 부동산 사이클의 기본 이해   078

상승 흐름 초반   079

상승 흐름 중반   085

상승 흐름 후반   089

하락 흐름 초반   093

하락 흐름 중반   097

하락 흐름 후반   098

결론   099

04 부동산 시장의 역사를 통한 미래 전망　　　100

　　부동산 시장 역사 공부　　　100

　　공급 대란을 바라보는 정부의 시선　　　105

05 안정적인 투자를 위한 미래 전망　　　110

　　3기 신도시의 등장과 등록임대주택 폐지의 영향　　　110

　　금리 인상과 부동산 가격의 상관관계　　　117

4장　　부동산 시장에 대한 인사이트 키우는 법

01 전세가격에 대한 이해　　　124

　　전세자금대출의 역사　　　124

　　계약갱신청구권과 민간택지 분양가 상한제　　　128

　　전세가 상승이 시장에 주는 영향　　　130

　　전세가격 안정화를 위한 시그널　　　131

　　전세자금대출이 부동산 시장에 미치는 영향　　　135

02 공급에 대한 올바른 관점　　　138

　　노후 주택 증가에 대하여　　　138

　　아파트 증여 주택의 문제　　　141

　　수도권 주택 공급의 부족 사태　　　144

　　3기 신도시 입주 시점　　　146

　　3기 신도시 입주 물량과 문제점　　　148

　　임대주택이 시장에 효과를 불러오려면　　　151

　　청약 경쟁률을 올바로 보는 관점　　　153

　　분양권 투자에 대하여　　　154

　　유동성 vs 주택 공급　　　156

　　코로나를 통해 배우는 공급의 중요성　　　158

부동산 투자의 끝판왕은 심리?   159

리츠를 통한 임대주택 공급의 가능성   160

03 대출과 부동산 규제 정책 간단히 살펴보기   162

대출 규제 해석 방법   162

신용대출에 대한 2가지 질문   163

주택담보대출 증가의 의미   166

04 한눈에 살펴보는 정부 규제 및 정책   171

규제 대응 방법   171

부동산 세금 정책 정리하기   173

부동산 규제 대책 정리하기   181

공급에 관한 정부 정책 분석법   188

05 경제와 부동산의 관계   190

저금리가 부동산 시장에 미치는 영향   190

금리 변동과 주택매매가격 비교   194

2009년 금융 위기와 2020년 코로나 비교   195

06 중요 지표에 대한 추가 설명   199

미분양 수치와 인허가 실적   199

07 그밖에 알아두면 좋을 투자 요인   202

부동산 투자에서 '호재'의 의미   202

'광역교통 2030'으로 보는 미래 교통 지형   203

일산·광명 테크노밸리가 끼칠 파급력   206

KTX가 정차하면 가격이 모두 오를까?   208

5장 미래의 부동산 시장 내다보기

01 공급과 유통 물량의 미래   213
   앞으로의 공급 물량   213
   유통 물량 시나리오   215

02 수요 변화의 흐름을 잡는 법   217
   수요자에 대하여   217
   인구 감소가 미칠 영향   218
   전세가와 금리에 대하여   219

에필로그 공급 부족과 유동성 확대 시기를 대처하는 자세   221

부록 ❶ 꾸준한 가치 상승이 기대되는 수도권 입지   225
   고양 일산 신도시   227
   용인 수지구청역 인근   236
   수원 영통역 인근   239
   남양주 다산 신도시   243
   인천 청라 신도시   245
   군포 산본 신도시   247

부록 ❷ 부동산 관련 참고자료 보는 법   249
   KB리브온 홈페이지   249
   국토교통부 홈페이지   253
   통계청 홈페이지   254
   한국부동산원 홈페이지   257
   부동산 관련 앱   258

1
장

사회 초년생에게
재테크는 필수다!

직장에도 졸업이 필요한 이유

— 01 —

'직장 졸업'이란 말을 들어보셨나요? '퇴사'는 많이 들어봤어도 직장생활에 '졸업'이라는 표현은 잘 사용하지 않습니다. 하지만 이제부터라도 이 책을 읽은 직장인들은 졸업이라는 표현을 사용했으면 좋겠습니다.

사람은 태어나서 언젠가는 죽음을 맞습니다. 이 또한 삶이란 긴 여정의 졸업이라 볼 수 있습니다. 유치원에서부터 초·중·고, 대학, 군대에 이르기까지 모두 끝나는 시점이 있습니다. 이때 우리는 졸업이라는 표현을 사용합니다. 중요한 건 모든 사람이 이러한 과정에 '끝'이 있다고 생각한다는 점입니다.

그렇다면 회사도 졸업이 있을까요? 물론입니다. 하지만 주변의 많은 사람이 회사에만 들어가면 끝이 없다고 자기 자신에게 주입하는 것 같습니다. 버틸 수 있을 때까지 다녀야 하고, 회사에서 나가라고 할 때가 비로소 끝나는 시점이라 생각합니다. 즉, 내 삶의 주도권이 회사라는 법인으로 넘어가 있는 것입니다.

지금부터는 직장생활에도 다른 과정과 마찬가지로 졸업이 있다고 생각해보면 어떨까요? 단, 다른 점이 하나 있습니다. 초등학교 6년, 중학교 3년, 고등학교 3년, 대학교 4년 등 학교라는 시스템에서는 졸업을 위한 기간을 정해주지만, 회사생활은 그렇지 않습니다. **회사에서는 졸업 시점을 내가 스스로 정해야 합니다.** 자신이 소속된 곳에서 정해주는 게 아니죠. 따라서 스스로 기간을 정할 수 있어야 합니다.

예를 들어 8년을 잡을 수 있겠죠. 28세에 입사했다면 36세를 졸업 시점으로 잡는 것입니다. 중요한 건 졸업에는 조건이 붙습니다. 대학교를 예로 들어보겠습니다.

만약 내가 ○○공학과를 전공으로 선택했다면 졸업까지 140학점을 이수해야 합니다. 그중 최소 60점 이상의 전공학점을 이수해야 졸업할 수 있습니다. 즉, ○○공학과이면서 교양과목만 140학점을 이수한다면 졸업할 수 없는 것입니다.

그렇다면 직장인의 전공과목은 무엇일까요? 이를 알기 위해선 내가 어떤 시대에 살고 있는지 명확히 이해해야 합니다.

우리가 살아가는 시스템을 직장생활로 국한한다면, 작게는 본인이 취업한 회사일 것입니다. 그러나 **본질적으로 우리는 '자본주의' 시대를 살아가고 있습니다. 즉, 자본이 지배하는 시대를 산다는 점을 절대 잊어서는 안 됩니다.**

직장인에 한해서 말씀드리면, **자본주의 시대에서 주전공은 자본, 즉 '부동산', '주식'으로 볼 수 있습니다.** 따라서 직장인은 부동산과 주식이라는 전공과목을 이수하여 공부하지 않는다면 졸업은 생각조차 할 수 없습니다.

자, 문제는 여기에 있습니다. 직장생활 전까지는 사회 구조적으로 졸업 기간이 정해져 있고, 졸업을 위해서 무엇을 해야 하는지를 알려주고 또한 시스템화되어 있습니다. 그래서 결국은 졸업을 하게 되겠죠.

그런데 직장인의 졸업은 쉽게 알 수 없게 감춰져 있습니다. 즉, 졸업을 위해 무엇을 해야 하는지 누구도 알려주지 않는다는 것이 큰 차이점입니다. 그리고 자본주의 시대임에도 자본이 주가 되어 자산을 일구는 것을 잘못됐다고 말하는 사람도 많습니다.

그래서 제가 이렇게 알려드린 겁니다.

직장을 제대로 졸업하는 방법

—— 02 ——

이제 직장 졸업의 중요성을 알게 됐다면, 실제로 졸업을 해야겠죠.

다시 예를 들어 설명하자면, 대학생의 경우 졸업하기 위해 전공과목을 듣고 시험을 치러야 합니다. 전공과목 수업을 듣고 공부하는 건, 부동산·주식을 공부하는 것과 같습니다. 또한, 전공과목 시험을 치르는 것은 부동산·주식을 실제로 매매하는 것으로 볼 수 있습니다. 그리고 전공과목 시험결과는 A·B·C·D로 갈리며, 부동산·주식 또한 수익이 성적이 됩니다. 수익이 마이너스라면 대학교에서 F학점을 받은 것이나 마찬가지니 졸업하지 못하겠죠. 그래서 F학점을 받지 않으려면 전공과목을 공부하듯, 직장인은 부동산·주식 관련 공부를 열심히 해야 합니다.

여기서 사람마다 가치관에 따라 차이가 생겨납니다. 다소 어렵지만 A학점을 받아서 졸업하고 싶은 사람이 있는 반면, 쉽게 D학점을 받아 졸업하고 싶은 사람도 있을 겁니다. 이는 옳고 그름을 따질 수 없는, 가치관의 차이입니다. A학점, 즉 돈을 많이 벌어서 그만큼 쓰고 싶은 사람이라면 그렇게 할 것입니다. 반면 D학점, 즉 적게 쓰더라도 적게 벌고픈 사람도 있을 겁니다.

중요한 건 전공을 공부하고 시험을 치르고 D학점 이상 받아야 졸업할 수 있다는 점입니다. 즉, **직장인은 부동산·주식을 공부해서 수익을 내야만 졸업할 수 있습니다. 이런 맥락으로 볼 때 직장인은 졸업 기간을 내가 정하는 것일 뿐, 이전에 해왔던 초·중·고 및 대학 졸업 그리고 군대 전역과 본질은 다르지 않다는 걸 알 수 있습니다.**

덧붙여 설명하자면, 자본주의 시대에서 노동소득은 대학교에서 '교양과목'과 같습니다. 교양과목을 아무리 많이 수강한다 하더라도 대학교에서 졸업을 안 시켜주듯, 직장생활은 노동소득만으론 절대 졸업할 수 없습니다. 교양과목만 듣고 있는 대학생은 결국 퇴학당하지 않을까요?

마찬가지로 노동만 하는 직장인은 결국에는 퇴학, 즉 내쫓기게 됩니다. 갑작스럽게 준비 없이 쫓겨난 대학생은 더는 대학생 신분이 아니니 원하는 회사에 취직할 수 없을 것입니다. 같은 관점으로 쫓겨난 직장인은 자본주의라는 사회에서 원하는 것을 할 수 없게 됩니다.

이게 현실입니다. 물론 대학교에서 교양과목을 듣지 않고 오로지 전공만으로 졸업하는 건 너무나 힘든 일입니다. 다소 쉬운 교양과목도 적절하게 이수해야만 졸업을 잘할 수 있듯이, 직장인으로 치면 교양과목이라 할 수 있는 노동소득 또한 중요합니다. 내가 원하는 기간에 졸업할 수 있게 해주는 원동력 정도로 생각하면 되겠습니다.

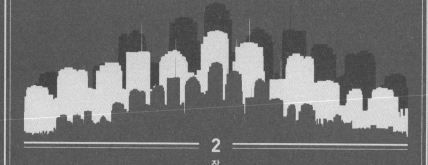

2
장

아파트 투자 공부를 위한
개념 정리

개인 재무제표 관리

─── 01 ───

투자에 앞서 개인의 재무제표 관리는 '필수'입니다. 보통 재무제표는 주식 투자를 위해 기업을 분석할 때 자주 등장하는 개념입니다.

그런데 개인 재무제표라니, 과연 무슨 의미일까요? 너무 어렵게 생각하지 않아도 됩니다. 간단하게 설명하겠습니다.

먼저 재무제표 관리 항목에는 크게 3가지가 있습니다.

① 손익계산서(=가계부)
② 재무상태표(=자산·자본·부채)
③ 현금흐름표

이제 재무제표를 작성해야 하는 이유와 작성법을 설명하겠습니다.

손익 계산서

손익계산서는 쉽게 말해서 '가계부'입니다. 즉, 개인(또는 가구)의 수익과 지출을 기록한 것입니다.

그러나 많은 사람이 귀찮아하거나 스스로 지출을 잘 통제하고 있다고 생각하여 가계부를 쓰지 않습니다. 여기서 가계부를 작성해야하는 몇 가지 중요한 이유를 말씀드리겠습니다.

첫째, 가계부를 작성하면 불필요한 지출을 발견하고 이를 개선할수 있게 됩니다. 아무리 지출을 잘 통제하고 있다고 생각하더라도 가계부를 작성하지 않으면 자신도 모르는 사이에 새어나가는 돈이 생기기 마련입니다.

둘째, 돈의 흐름이 수치화되어 관리할 수 있으므로 목표 시점에 원하는 종잣돈을 모으는 데 큰 도움을 얻을 수 있습니다. 따라서 미래 투자 계획도 손쉽게 세울 수 있습니다.

셋째, 내가 돈의 주인이 되어 돈의 흐름을 스스로 컨트롤할 수 있게됩니다. 즉, 돈에 끌려다니지 않고 내가 돈을 끌고 다니는 삶을 살 수있습니다.

다음으로 가계부 작성 방법을 간단히 설명하겠습니다(양식은 자유롭게 가능합니다).

① 1년 그리고 1개월 목표 저축액을 정합니다.

예를 들어 월 저축 200만 원 그리고 1년 저축 2,400만 원을 설정합니다. 물론 개인마다 목표 저축액은 다를 수 있습니다.

② 해당 월의 수입을 작성합니다.

여기서 핵심은 모든 수입원을 기입하는 것입니다. 월급, 주식 배당금, 월세 수익, 예적금 이자, 광고 수입 등 다양한 수익이 있을 수 있습니다.

그리고 수입원이 노동 수입 하나뿐이라면 이를 최대한 늘릴 수 있도록 방법을 꾸준히 찾고 노력해야 합니다. 예전과 다르게 평생직업이 없어지는 추세이므로 수익원 하나로 평생 살 수는 없습니다. 따라서 노동 수입이 높더라도 그것과 별개로 다양한 수입원을 만들어야 합니다.

● 월수입 내역 예시

소득 구분	사용자	일자	내역	금액	비고
A은행 통장	본인	10월 20일	회사 월급	2,000,000	
B은행 통장	본인	10월 25일	네이버 블로그 광고 수입	50,000	
C은행 통장	본인	10월 10일	미국 주식 배당금 이자	400,000	
D은행 통장	본인	10월 30일	수익형 부동산 월세	800,000	

③ 지출 내역을 작성합니다.

지출 내역을 작성하여 어디에 무슨 용도로 얼마 사용했는지 확인해야 합니다. 불필요한 지출을 파악할 수 있기 때문이죠.

● 지출 내역 예시

지출 구분		가계부					
대항목1	대항목2	사용자	일자	소항목1	소항목2	내역	금액
공용	고정비	본인	10.01	기타	부모님 용돈	10월 용돈	200,000
공용	고정비	아내	10.01	기타	부모님 용돈	10월 용돈	200,000
공용	고정비	아내	10.18	생활	월세	10월 월세+관리비	383,200
공용	고정비	아내	10.18	공과금	가스비	9월 가스비	12,450
공용	고정비	아내	10.17	공과금	전기세	9월 전기세, 수도세	20,850
공용	고정비	아내	10.01	통신비	TV, 인터넷	TV, 인터넷 사용료	32,592
개인	고정비	아내	10.01	통신비	핸드폰비	7월 핸드폰비	51,220
개인	고정비	본인	10.18	통신비	핸드폰비	7월 핸드폰비	71,620
개인	고정비	본인	10.18	공과금	기타세금	실비보험	17,250
개인	고정비	본인	10.17	공과금	의료보험	치과보험	21,900
개인	고정비	아내	10.18	공과금	의료보험	치과보험	33,803
개인	고정비	아내	10.18	기타	회비	모임비	30,000

④ 수입과 지출을 모두 작성했으면 마지막으로 정산을 해야 합니다.

이 부분이 가장 중요합니다. 먼저 해당 월의 최종 순수익금을 작성합니다(총수입에서 총지출을 뺀 금액). 다음으로 누적 수익금을 작성합니다. 그리고 목표 수익금 달성 정도를 확인합니다.

● 정산 내역 예시

공용	고정비	250,000
	생활비	600,000

아내	고정비	200,000	
	생활비	300,000	
본인	고정비	200,000	
	생활비	300,000	
1월	**전체**	**1,850,000**	
	최종 순수익금	**1,400,000**	

2020년 목표 금액	24,000,000	
누적 수익	1,400,000	5.8%
남은 금액	22,600,000	

　　다음으로 현시점에서 목표 금액을 모으는 데 문제가 없는지 체크합니다. 예를 들어 6월이라면 목표 금액의 50% 이상은 달성한 상태여야 합니다.

　　이 단계에서는 매월 누적 수익을 확인하여 목표 금액 달성이 계획대로 진행되고 있는지 체크하고, 도달하지 못했다면 이유를 찾아야 합니다. 지출이 늘어났다면 불필요한 부분이었는지 체크하여 다음 달에 개선합니다. 만약 불필요한 지출이 없었는데도 목표에 도달하지 못했다면 너무 무리한 목표였을 수 있습니다. 이런 경우 목표를 수정하는 것이 좋습니다.

　　이렇게 항상 가계부를 수치화하여 관리해야 돈을 컨트롤할 수 있습니다. 돈을 스스로 컨트롤할 수 있게 되면, 앞서 말했듯이 돈이 나를 따라오는 삶을 만들 수 있습니다. 이것의 초석은 가계부 작성입니다.

재무상태표

재무상태표란 개인의 자산·자본·부채를 파악하는 것입니다. 제 경우 분기마다(1년에 4회) 재무상태표를 업데이트합니다(자산은 자본+부채입니다). 여기서 핵심은 2가지입니다.

첫째, '자산'이 증가하고 있는지 확인해야 합니다.

둘째, '부채' 비율을 확인해야 합니다.

다음으로, 작성 방법을 설명하겠습니다.

① 분기마다 자산·자본·부채를 작성합니다.

수입원마다 꼼꼼하게 자산 가치, 자본, 부채, 부채 비율 등을 재무상태표로 작성합니다.

● 재무상태표 예시

분류	형태	자산 가치 20.9.30	자본 20.9.30	부채 20.9.30	부채 비율
부동산	○○아파트	4억 원	1억 원	3억 원	75.0%
	○○아파트	3억 원	1억 1,200만 원	2억 원	66.7%
	○○아파트	6억 원	2억 원	4억 원	66.7%
	○○아파트	3억 원	5,000만 원	2억 5,000만 원	83.3%
금융	미국 주식	3,000만 원	3,000만 원	0	-
	국내 주식	4,000만 원	4,000만 원	0	-
	예금	1억 2,000만 원	1억 2,000만 원	0	-
	적금	5,000만 원	5,000만 원	0	-
합계		17억 3,200만 원	5억 9,400만 원	11억 5,000만 원	66.4%

② 분기마다 작성한 자산·자본·부채를 통해 재무상태를 확인합니다.

작성한 재무상태표를 차트로 변환하여 자신의 재무 상태를 확인합니다.

● 분기별 재무상태표 예시

분류	자산	자본	자본 비율	부채	부채 비율
18.06	10억 원	4억 1,000만 원	41.0%	5억 9,000만 원	62.9%
18.09	12억 원	4억 2,000만 원	35.0%	7억 8,000만 원	65.0%
18.12	13억 원	4억 3,000만 원	33.1%	8억 7,000만 원	66.9%
19.03	13억 5,000만 원	4억 3,000만 원	31.9%	9억 2,000만 원	68.1%
19.06	14억 원	4억 5,000만 원	32.1%	9억 5,000만 원	67.9%
19.09	14억 원	4억 8,000만 원	34.3%	9억 2,000만 원	65.7%
19.12	14억 3,000만 원	4억 9,000만 원	34.3%	9억 4,000만 원	65.7%
20.03	15억 5,000만 원	5억 1,000만 원	32.9%	10억 4,000만 원	67.1%
20.06	16억 원	5억 5,000만 원	34.4%	10억 5,000만 원	65.6%
20.09	17억 3,200만 원	5억 9,400만 원	34.3%	11억 3,800만 원	65.7%

● 자산

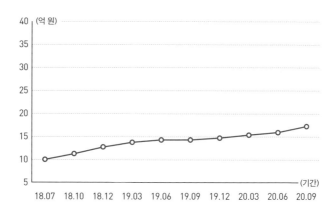

● 자본

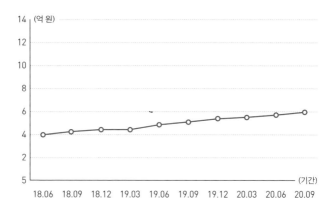

● 부채

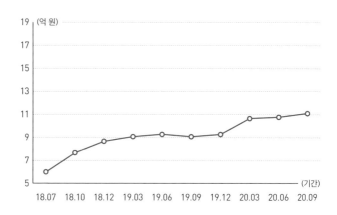

③ 자산이 증가하고 있는지 확인합니다.

지금과 같이 유동성 확대와 화폐 가치 하락으로 자산가격이 팽창하는 시기에 재무상태표의 자산이 증가하고 있지 않다면 현재 내 포트폴리오는 잘못된 것입니다. 따라서 전략을 바꿔야겠죠. 또한, 자산뿐 아니라 자본도 같이 증가해야 투자가 잘되고 있는 것입니다.

④ 부채 비율을 확인합니다.

부채는 액수가 아닌 비율로 관리하며, 리스크의 기준 역할을 합니다.

현시점 제 경우엔 부채 리스크를 60%로 관리하고 있습니다. 아파트 시장이 폭락했던 IMF, 금융 위기 당시 수도권 주요 아파트 200채의 실거래가가 평균 27.3% 하락했습니다. 즉, 이런 위기가 다시 찾아와서 아파트가 최대 30% 하락한다고 가정해볼 때, 아파트를 매도하여 빚을 청산하고 자본을 10% 수준이라도 남기는 것을 최소 안전마진으로 정한 것입니다.

물론 60%가 넘어선다고 해서 문제라고 보기는 어렵습니다. 예를 들어, 상승 시기에 막 진입했다면 부채 비율을 60%로 유지할 필요 없이 더 늘리는 것이 좋은 방향입니다. 즉, 시기에 따라 기준 수치를 다르게 가져가 수익을 극대화하는 것이 필요합니다.

하지만 지금같이 상승 후반 시기에 부채 비율이 60%가 넘는다면 투자 방향을 되돌아봐야 합니다. 무엇 때문에 부채가 늘어났는지, 또 늘어난 부채의 이자가 내 현금 흐름과 비교해봤을 때 최악의 경우 어떤 문제를 발생시키는지 등을 면밀히 체크해야 하는 것이죠. 즉, 부채 비율로 리스크를 관리할 수 있게 됩니다.

현금흐름표

현금 흐름에는 2가지 의미가 있습니다.

먼저, 재무상태표에서 부채의 위험성을 판단할 수 있습니다. 쉽게 설명하자면, 부채가 많더라도 현금 흐름이 더 많다면 큰 문제가 되지 않습니다. 즉, 파산 위험성이 낮습니다. 그러나 현금 흐름이 부족한 상태에서 부채가 증가한다면 파산 위험성 또한 커집니다. 따라서 현금 흐름이 적거나, 적어질 위험이 있다면 부채 비율을 줄이는 것이 중요합니다.

다음으로, 현금 흐름은 경제적 자유로 가는 길을 확인하는 수단입니다. 현금 흐름을 확인하면 경제적 자유에 얼마나 도달했는지를 파악할 수 있습니다.

현금흐름표 작성 방법에 정답은 없습니다. 저는 재무상태표와 유사하게 만들고 분기마다 업데이트하여 관리합니다. 여기서 현금 흐름은 노동 수익을 제외한 순수익을 쓰는 것을 추천하며, 노동 수익과 비교하여 그 비율을 계산해볼 필요도 있습니다. 예를 들면 아래와 같습니다.

노동 수입	현금 흐름(노동 수입을 제외한 수익)	비고	비율(월세·노동 수입)
	45만 원	아파트 월세	
	50만 원	아파트 월세	
	80만 원	상가 월세	
	50만 원	상가 월세	
	5만 원	배당금	
500만 원	230만 원	합계	46.0%

또한, 아래와 같이 분기별로 현금 흐름을 정리하여 변화량을 틈틈히 확인하는 것이 좋습니다.

분류	노동 수입	현금 흐름(노동 수입을 제외한 수익)	비율
19.12	5,000,000	1,000,000	20%
20.03	5,000,000	1,000,000	20%
20.06	5,000,000	1,000,000	20%
20.09	5,000,000	1,500,000	30%
20.12	5,000,000	1,500,000	30%
21.03	5,500,000	2,000,000	36.4%
21.06	5,500,000	2,000,000	36.4%

분기마다 노동 수입·현금 흐름·비율을 한눈에 볼 수 있도록 관리하는 것은 부동산 투자에 앞서 매우 중요한 행동입니다. 이렇게 재무제표를 꾸준히 작성한다면 스스로 돈을 컨트롤할 수 있게 됩니다.

● 노동 수입

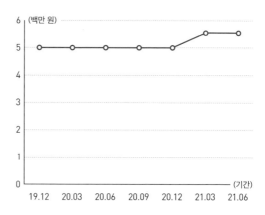

● 현금 흐름(노동수입을
제외한 수익)

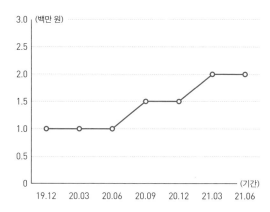

● 비율

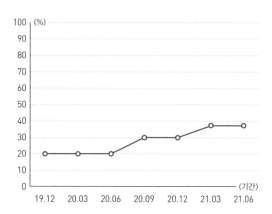

아파트 투자 공부 방향

—— 02 ——

여러분은 아파트 투자 공부를 어떻게 하고 있나요? 각자 본인의 실력·성향·기준·가치관 등에 따라 다양한 방법으로 하고 있을 겁니다.

일반적인 방법은 유튜브·블로그·책을 보거나 유료강의를 듣는 것입니다. 그리고 동네 주변부터 시세를 확인하고 임장臨場을 시작합니다. 하지만 지금의 공부법으로 스스로 매수를 못하고 있거나, 매수 후에도 불안하다면 공부의 방향이 잘못됐을 가능성이 큽니다.

혹시 아파트를 매수할 때 누군가의 도움을 받았고, 이후 도움이 없으면 스스로 매수에 나서지 못하는 분들도 계신가요? 이런 분들을 자주 상담하다 보니 한 가지 공통적인 문제점을 발견했습니다.

바로 대부분 지역 분석에만 몰두한다는 점입니다. 시장이 어떻게 흘러가고 있는지 모르거나, 알더라도 정확히 이해하지 못하여 확신 없는 경우가 대부분입니다. 이 경우 투자 결정을 내리지 못하거나 불안해합니다.

지금부터 아파트 투자 공부를 어떻게 해야 하는지 말씀드리겠습니다.

시장 흐름 분석의 중요성

아파트 시장 흐름 분석은 아파트 투자에 있어 가장 기본이자 근본입니다. 풍경화를 그린다고 치면, 아파트 시장 흐름 분석은 밑그림이라 할 수 있습니다. 밑그림 없이 그림을 그리면 어떻게 될까요? 어디부터 그려야 하는지, 그리면서도 방향이 맞는지를 알 수 없기 때문에 그림이 엉망이 될 것입니다.

아파트 시장 흐름 분석은 밑그림을 그리듯 전체적인 방향을 먼저 선정하는 작업입니다. 그리하면 그림 전체를 놓고 방향을 정할 수 있습니다. 어려운 것부터 그리든, 쉬운 것부터 그리든, 가운데부터 그리든, 전체 상황을 보고 내가 스스로 판단하여 그려나가는 것입니다. 그림의 밑그림 역할을 하는 것이 '시장 흐름 분석'이며, 그림의 디테일한 부분을 그리는 것이 '지역 분석'입니다.

이제 아파트 시장 흐름 분석의 중요성은 아셨을 겁니다. 시장의 근본이자 방향을 알려줄 시장분석을 잘한다면, 스스로 판단하여 투자할 수 있을 뿐더러 수익도 극대화할 수 있습니다.

시장 흐름 분석 방법

시장 흐름을 분석하려면, 먼저 **아파트 시장의 역사를 공부**해야 합니다. 과거에 아파트 가격이 오르내린 이유를 상세히 찾아내는 것입니다.

그리고 종국에는 수많은 이유 중 시장에 가장 영향력을 주는 본질을 찾아내는 것이 시장 흐름 분석의 핵심입니다. 본질을 찾는다는 것은 반대로 말하면 본질이 아닌 것을 구별해낼 수도 있다는 것입니다. 본질을 구별해낼 수 있는 확신이 생긴다면 앞으로 부동산 시장도 어느 정도는 전망할 수 있게 됩니다.

물론 미래를 정확히 아는 것은 불가능합니다. 하지만 투자 자체가 미래를 전망하는 행위이므로 우리가 할 수 있는 건 현재 기준으로 미래를 최대한 정확하게 예측하는 것입니다. 그러기 위해 아파트 시장 흐름에 영향을 주는 많은 요인 중 핵심 요인, 즉 본질을 찾아야 합니다. 초보 투자자라면 당연히 많이 어렵게 느껴질 수 있습니다. 그래서 부동산 공부는 절대 쉽지 않습니다.

부동산 공부를 한마디로 정의하자면 '끊임없이 본질을 알아내는 과정이며, 본질에 확신이 생길 때까지 공부하는 것'입니다. 여기서 확신이 가장 중요합니다. 그래야 정부 규제와 시장 환경의 변화에서도 시장 흐름의 방향을 정확히 보고, 흔들리지 않는 투자를 할 수 있습니다.

여기서는 시장 흐름 분석이 무슨 행위인지만 알면 되겠습니다. 앞으로 이 책에서는 시장 흐름 분석의 본질을 찾아가는 과정이 이어지므로, 끝까지 읽으면 부동산 투자의 본질을 알 수 있을 것입니다.

지역 분석이란?

앞서 살짝 언급했듯, 지역 분석은 시장 흐름 분석이란 밑그림 위에 정밀하게 그림을 그리는 행위이자, '스킬'이라고 할 수 있습니다. 스킬이 뛰어나다면 정밀하게 금방 그릴 수 있을 테고, 반대로 스킬이 없으면 오래 걸릴 것입니다.

아파트로 말하자면, 지역 분석이란 아파트 투자자 95%가 하고 있는 행위입니다. 예를 들면 지역 분석은 디테일한 스킬로 투자 대상 아파트를 선정하는 행위입니다. 즉, 공급량, 미분양 세대수, 인구수, 지역의 대장 아파트를 찾고, 가격의 고평가·저평가 여부, 주변 아파트와의 갭 메우기 여부, 인기 평형, 교통·일자리 호재 등을 통해 내 자본금 안에서 가장 수익률 좋은 투자 대상 아파트를 선정하는 것입니다.

여기서 2가지 질문을 하겠습니다.

"여러분은 지금까지 어떤 공부를 해왔습니까?"

"지역 분석을 한 결과 투자가 망설임 없이 쉬웠나요?"

제가 상담하며 느낀 바로는 대부분이 지역 분석을 공부하지만 여전히 투자를 어려워합니다.

투자자가 지역 분석만 하는 이유

왜 많은 투자자가 대부분 지역 분석만 할까요? 간단합니다.

지역 분석 공부는 굉장히 쉽습니다. 그리고 정보는 누구에게나 오픈되어 있죠. 그리고 그 정보를 해석하는 데 개인마다 큰 차이가 생기지 않습니다. 한번 생각해볼까요? '공급이 적다', '미분양이 적다', 'GTX-A 노선이 들어온다' 이것을 해석하는 데 차이가 생기기 어렵지 않겠습니까?

초보 부동산 투자자는 전문가보다 경험이 부족하고, 이러한 지역 분석 정보를 빠르게 얻는 방법을 몰랐기 때문에 차이가 있다고 느끼기 쉽습니다. 이 경우에는 새롭고 많은 정보를 안 것 같아 신기하고, 또 막막한 부동산 공부가 명확해지며 재밌어집니다. 또한, 당장 아파트를 사고 싶어 합니다.

한편, 시중의 강의, 유튜브, 책 등 대부분이 지역 분석을 다루고 있어, 초보 투자자가 지역 분석에 몰두하는 환경을 조성하고 있습니다. 그로 인해 시장 흐름 분석의 중요성과 방법에 대해서 전혀 모르는 사람이 대다수입니다.

지역 분석만 하면 발생하는 문제점

지역 분석 공부만 한 상태에서 막상 투자하려고 하면 겁이 나고, 어쩌다 1건 투자하게 되었다고 해도 이를 이어가지 못하고 투자 시장을 떠나는 사람들이 굉장히 많습니다. 강의를 꾸준히 들어서 지식을 서서히 쌓으려고 하기보다는 전문가의 직언에 의존하는 경향이 강하고 스스로 한계를 느껴 투자를 그만두게 되는 것입니다.

한편, 지역 분석에서 사용하는 수치화된 지표는 언뜻 논리적인 것

같지만 대부분 본질에 접근하지 않습니다. 수많은 데이터로 가격 변동의 후행성 근거만 말할 뿐, 미래 전망에 도움이 되지 않는 지표들이 대부분입니다. 오히려 시장을 보는 데 더 어려움을 주곤 합니다.

소위 부동산 전문가라는 사람들의 전망은 아무리 논리적이라도 마냥 신뢰할 수만은 없습니다. 현시점 기준 하락론자들의 말도 굉장히 논리적이지만, 시장은 그렇게 논리적으로만 움직이지 않는다는 것을 모두가 아실 겁니다. 본질로 시장을 보기 시작하면 논리적으로 보이던 것도 다시 한번 생각해보게 되실 겁니다.

아파트 투자 공부의 핵심

아파트 투자를 위해 선행해야 할 것이 부동산 시장 흐름 분석, 즉 밑그림을 공부하는 것입니다. 시장 흐름 분석으로 큰 방향성을 잡아 놓고, 그다음 지역 분석을 하는 순서로 공부해야 실제 투자에 확신을 갖고 오랜 기간 안정적으로 투자할 수 있습니다.

지역 분석만 한다면 숲이 아닌 나무만 공부하는 것이며, 멀리서 숲이 불타고 있음에도 눈앞의 나무에 가로막혀 알 수 없는 것과 같습니다. 불길이 내 눈앞에 다가와야 위기를 인지하게 됩니다. 따라서 지역 분석만 하면 위기에 스스로 대응책을 세울 수 없습니다. 또한, 부동산 시장의 난도가 높아지는 상승 후반기에 각종 규제와 시장 환경 변화에서 정확한 판단을 내리지 못하고 잘못된 결정을 하게 됩니다.

참고로 부동산 시장 난도는 상승 흐름의 후반으로 갈수록 높아지며, 이때 각종 규제와 변수들이 잦아집니다. 불행하게도 대부분의 초보 부동산 투자자는 난도가 높을 때 시장에 들어오는 경우가 많습니다. 난도가 낮은 상승 초반기에 진입하고 싶거나, 난도 높은 시장에서도 살아남으려면 아파트 시장 흐름에 대한 공부가 절대적으로 필요합니다.

난도 높은 시장에서 내 눈과 귀에 들리는 건 각종 규제와 하락 위험성 등이며, 이때 어설픈 지역 분석 지식으로만 무장한 초보 투자자들은 방향을 잃고 맙니다. 결국 파산하거나 투자를 포기하게 되는 경우가 많습니다.

이럴 때 시장 흐름 분석에 대한 공부가 확실히 되어 있다면 난도 높은 구간에서도 진짜 실력이 나옵니다. 확신을 가지고 주변의 잡음에 흔들리지 않으면서 페이스를 유지하면 굳건히 투자할 수 있습니다.

초보 투자자에게 하고 싶은 말

제가 이렇게 길게 설명한 이유를 짐작하셨을 겁니다. 이 책을 읽는 독자분들은 대개 오랜 기간 부동산 투자를 안정적으로, 또 재미있게 하고 싶으실 겁니다. 물론 빠른 시간에 큰돈을 벌고 싶겠지만, 너무 안타깝게도 이미 그런 시절은 지나갔습니다. **장기간 투자자로 살아남아 큰 수익을 얻으려면 부동산 시장 흐름 분석이 선행되어야 합니다.**

앞서 이야기한 대로, 대부분의 유튜브, 유료강의에서 부동산 시장 흐름 분석은 수박 겉핥기에 불과하고, 대개 지역 분석을 다루고 있습니다. 대부분의 사람은 당장 투자처를 콕 집어주길 원하기 때문입니다.

예를 들어 수학 문제라 하면, 당장 문제 푸는 법만 알길 원하고 개념 공부는 하기 싫어하는 것이 사람 본연의 성질입니다. 또한, 20대 이후에는 많은 사람이 원론적인 공부를 싫어할 뿐더러 그렇게 한다고 해도 실제 투자할 때 공부해둔 것이 피부에 크게 와닿지 않는다는 이유도 큽니다.

물론 지역 분석이 무조건 나쁘다는 건 아닙니다. 실제로 투자 물건을 선택할 때는 지역 분석이 훨씬 중요합니다. 하지만 이것은 다른 전문가들에게 맡기겠습니다. 앞으로 이 책에서 저는 조금 더 전체를 조망하는 방법을 다루고자 합니다.

이 책을 통해 유익한 정보를 많이 배워가기를 바랍니다.

올바른 부동산 투자 방향

— 03 —

부동산 투자를 시작하는 사람이라면 앞으로 어떤 투자를 할지, 그 방향에 대해 고민하게 될 겁니다.

물론 부동산 투자 방향은 본인의 상황, 스타일, 목표에 따라 다르게 해야 하는 것이 중론입니다. 하지만 여기서는 지금까지 제 경험과 주변 사람들의 사례를 통해 고민한 최선의 결과를 말씀드리겠습니다.

먼저, 부동산 투자 방향은 크게 3가지 유형으로 나뉩니다.

---

① 시세차익형 투자
② 월세수익형 투자
③ 하이브리드형 투자

이 3가지 유형의 특징을 먼저 설명하고, 이후 각각의 투자 방향에 관해 설명을 이어가도록 하겠습니다.

시세차익형 투자

시세차익형 투자의 대표 상품은 아파트입니다. 상승 흐름 초반에 좋은 아파트를 매수하면 많게는 10억 이상의 수익도 얻을 수 있습니다. 그만큼 자산을 극대화하기엔 아파트 투자가 가장 좋은 방법입니다.

또한 자가의 경우 주택담보대출을, 갭투자의 경우 임차인의 전세자금을 활용하여 실제 투입 비용을 줄이는 레버리지 투자가 가능합니다. 따라서 시세차익뿐만 아니라 수익률도 굉장히 높습니다.

그리고 아파트는 의식주 중 하나인 필수재인 만큼, 많은 사람이 어느 순간이 되면 아파트 매매를 한 번쯤 생각해봅니다. 그만큼 일반인에게도 익숙하여 접근성이 가장 좋으며, 투자 활성화로 다양한 정보도 쉽게 얻을 수 있습니다.

이렇듯 투자자 입장에서 익숙하면서도 큰 시세차익은 물론 정보를 쉽게 얻을 수 있는 것이 아파트 시세차익형 투자의 장점입니다.

월세수익형 투자

다음은 월세수익형 투자입니다.

월세수익형 투자는 많은 투자자의 로망입니다. 대부분 투자를 시작하며 경제적 자유를 꿈꾸기 때문에 월세를 받는 삶은 투자자에게 최종 목표일 수 있습니다. 월세수익형에는 대표적으로 상가, 오피스텔, 지식산업센터 등이 있습니다.

　월세수익형 부동산은 많은 사람이 어떻게 투자해야 하는지 낯설어하는 분야입니다. 만약 공부를 제대로 하지 않고 섣불리 투자할 경우 큰 손해를 볼 수 있습니다. 사전에 충분히 공부하지 않으면 대부분이 투자 실패로 이어지는 분야가 바로 월세수익형 투자입니다. 그나마 오피스텔은 주거형으로 친숙하지만, 그마저도 실제로 어떻게 투자해야 하는지는 모르는 경우가 태반입니다.

　단순하게 투자 금액 대비 월세만 생각하여 투자하는 경우가 대부분이며, 시세가 떨어지는 경우도 허다합니다. 만약 같은 돈으로 아파트에 투자했다면 수억 원의 시세차익을 낼 수도 있습니다. 시세가 하락하지 않는다고 해도 같은 돈으로 시세차익이 나지 않는 상품을 사는 것은 상대적으로 큰 손해라 볼 수 있습니다.

　따라서 월 30만 원 정도의 현금 흐름을 만들려는 가벼운 생각으로 월세수익형 투자에 접근하면 안 됩니다. 그만큼 월세수익형은 시세차익형에 비해 낯설고 정보가 부족하기 때문에 초보자가 접근하기에는 상당히 어려운 편입니다. 또한, 아파트와 같이 필수재가 아니므로 잘못 매수했다가는 큰 재산 손실이 날 위험이 있습니다. 반드시 사전에 충분히 공부한 다음에 투자를 진행해야 합니다.

월세수익형 투자를 잘못했다가 크게 재산 손실이 나는 사례로 크게 2가지를 들 수 있습니다.

첫째, 월세가 하락하는 경우입니다. 월세 200만 원인 5억 원짜리 상가가 있다고 가정하겠습니다. 즉, 이 상가의 수익률은 약 5%입니다. 만약 분석을 잘못하여 상가 월세가 200만 원에서 100만 원으로 줄어든다면, 기대 수익률 5%는 변하지 않기 때문에 상가 가격은 2억 5천만 원으로 떨어지게 됩니다. 즉, 가만히 앉아서 2억 5천만 원의 손실을 보게 됩니다. 이렇게 월세는 상가가격에 직접적인 영향을 주기 때문에 상가주들은 공실로 놔두더라도 월세를 줄이려 하지 않는 것입니다.

둘째, 금리가 상승하는 경우입니다. 예를 들어, 금리가 3%일 때 월세 200만 원 나오는 상가를 5억에 매수했습니다. 위와 마찬가지로 수익률은 약 5%입니다. 그런데 금리가 6%로 오른다면 상가 가격은 어떻게 될까요? 2억 5천만 원이 됩니다. 즉, 가만히 앉아서 2억 5천만 원을 손해 보게 되는 것입니다.

이해하기 어려운가요? 이렇게 생각해보면 쉽습니다. 5억이 있는데 예금 이율은 3%이고 상가 수익률은 5%라면 상가를 5억 주고 사서 추가 수익률을 낼 수 있습니다. 그런데 예금 이율이 6%가 된다면, 그 상가를 5억 주고 사는 의미가 있겠습니까? 같은 원리라면 적어도 수익률 10%는 나와야 매수를 진행하게 됩니다. 즉, 상가를 통한 기대수익률이 예금 이율보다 높은 8~10% 정도로 오를 것입니다. 그러나 월세는 이율이 오른다고 해서 뒤따라 상승하지 않는 독립변수입니다. 그러므로 상가 가격이 내려가야 기대수익률을 충족할 수 있게 됩니다.

결론적으로 상가에 투자할 때 앞으로 월세가 떨어지지 않는 상가를 알아보는 혜안을 가질 수 있도록 투자 공부가 뒷받침되어야 합니다. 또한, 상가를 사는 시점을 결정하는 '금리'도 따져봐야 하는 만큼, 상가는 복잡한 상품이므로 충분한 공부 후에 투자하시길 바랍니다.

하이브리드형 투자

마지막으로 하이브리드형이 있습니다. 대표적인 유형은 꼬마빌딩이며, 시세차익과 월세수익을 동시에 얻을 수 있는 상품이기도 합니다. 한편, 꼬마빌딩이 아니어도 시세차익과 월세수익을 동시에 얻을 수 있는 다양한 방법이 있습니다.

① 상승 흐름 초반 아파트 매수 후 월세 세팅
- 대출 규제가 없으며 거치 상환 방식
- 아파트 시세 상승으로 전세가격 상승이 월세 상승으로 이어짐
- 아파트 시세차익과 꾸준한 월세수익 가능
  ※ 단, 상승 흐름 초반에만 가능하므로 언제나 가능한 투자가 아님

② **지속적인 월세 상승이 가능한 상가 투자**
- 앞으로 배후 수요 증가가 예상되는 경우
- 아파트 세대 외 외부 수요가 늘어날 수 있는 입지의 경우
- 투자 난도가 상당히 높다는 단점이 있음

③ **실입주 수요가 많은 지식산업센터 투자**
- 입지가 우수하여 해당 입지에서 사업하고 싶은 매수 수요 존재
- 수익률과 관계없는 매수세가 존재하여, 시세 상승이 가능(아파트와 유사한 특징을 가짐)

④ **금리 변곡점을 이용한 월세수익형 투자**
- 월세수익형 상품은 금리와 매매가가 연동됨
- 금리 인상 시 매매가 하락 / 금리 인하 시 매매가 상승
- 금리가 높은 시점에 상가 매입하면 금리 하락기 상가 가격 상승
- 모든 월세수익형 투자에 적용되는 사항
- 예측 불가능한 금리의 특성이 단점으로 작용함

추천 투자 코스

투자 방향과 상품 특성에 대한 간략한 설명을 들으니 어떠신가요? 방향이 잡히셨는지요?

　보통 투자를 처음 시작할 때 목표를 설정하고 투자 방향을 결정합니다. 만약 본인이 부동산 투자에 있어 인사이트, 즉 통찰력이 충분하다면 각 시점에 맞는 투자처를 선택하는 것이 가장 좋은 투자법입니다.

하지만 부동산 투자를 처음 시작하면서 얕은 지식으로 올바른 판단을 하는 건 불가능합니다. 그러므로 제가 추천하는 코스로 방향을 설정하는 게 가장 좋습니다. 투자 순서는 다음과 같습니다.

> 시세차익형 투자(아파트 투자) ◐ 자산 증식 후 일부 현금화 ◐ 월세수익형 투자

먼저 시세차익형인 아파트 투자를 진행하여 자산을 증식시킵니다. 가장 익숙한 방법이므로, 의지만 있다면 많은 정보를 얻을 수 있습니다.

어느 정도 자산이 늘어나면 일부를 현금화하여 월세수익형 투자를 진행합니다. 물론 월세수익형 투자 또한 투자 대상을 선정한 다음 많은 공부를 한 후 매입해야 합니다.

이렇게 시세차익형과 월세수익형 2가지를 모두 경험하면서 충분히 공부하고 투자 노하우가 생겼다면 이제는 본인의 선택으로 자유롭게 투자를 진행하면 됩니다.

여기에 덧붙이자면, 가급적 한 방향에만 매몰되지 않도록 주의하기 바랍니다. 시세차익형에만 투자하여 주택 수는 늘어났더라도 현금 흐름이 부족해지면 생계가 불안정해집니다. 또한, 전세가격 하락 시기에 파산 위기에 놓일 위험도 있습니다.

주식에서도 가치투자 시 기업의 현금 흐름을 중요하게 보지 않습니

까? 개인 또한 하나의 기업으로서 자산 증식에만 몰두하기보다는 월세 수익을 통해 현금 흐름을 늘리는 것도 굉장히 중요하다는 점을 명심하시기 바랍니다.

또한, 궁극적인 목표인 경제적 자유를 이루기 위해서 월세수익형 투자는 필수입니다. 그러나 투자 시기를 잘 조율해야 합니다. 간혹 투자를 시작하면서 곧장 월세수익형으로 방향을 잡는 분들이 있습니다. 이런 경우 현금 흐름은 어느 정도 확보할 수 있지만 순자본 증식 속도가 상당히 느립니다. 이것도 투자자로서 좋지 못한 방향입니다.

추천 코스는 일반적인 방향이며, 모든 시점에 적용되는 건 아닙니다. 실제 투자 시점은 아파트시장의 흐름상 현 위치, 그리고 월세수익형 시장의 상황에 따라 달라진다는 점을 참고하기 바랍니다. 이러한 점들은 부동산 투자 공부를 통해 파악할 수 있을 것입니다.

쉬어가기

부동산에 대한 많은 오해가 있습니다.
"부동산은 적게 공부해도 큰 수익을 낼 수 있다."
"부동산 공부가 주식보다 쉽고 양이 훨씬 적다."
많은 사람이 이런 말을 들어봤고, 어느 정도는 동의하리라 생각합니다.
정말 부동산 공부는 그렇게 쉬운 걸까요? 쉽다고 말하는 사람들에게 현 부동산 시장에 대해서 물어보면, 뻔한 대답만 나옵니다. 누구나 조금만 검색해보면 알 수 있는 그런 대답들이요. 이는 대부분의 부동산 투자자가 지역 분석만하기 때문입니다. 또한, 부동산 시장의 흐름에 대해 깊이 있게 공부하지 않았기 때문입니다. 이런 경우 부동산 공부가 쉽다고 생각할 수 있습니다.

아시나요? 아파트 투자 전문가라는 사람들의 숫자는 부동산 흐름과 같이 움직입니다. 상승기 후반으로 갈수록 자칭 전문가들은 많아지며 오랜 하락 흐름에 접어들면 이내 자취를 감춥니다. 시장을 제대로 보지 못한 채 본인의 투자에 취해 욕심을 이겨내지 못하고 파산한 결과입니다.

그만큼 시장분석을 제대로 하는 사람은 극히 드물며, 단순히 지역 분석만으로 상승 흐름에 편승할 수 있는 찍어주기식 강의가 난무합니다. 그런 내용이 전부인 줄 아는 많은 초보 투자자가 부동산 공부는 어렵지 않다고 말하는 것입니다.

다시 말씀드리지만, 부동산 시장 분석은 정말 어려운 분야입니다. 오랜 기간 공부해야 하죠. 그만큼 시장 흐름 분석을 제대로 공부하면 부동산 시장의 흐름을 헤아려서 안정적으로 오랜 기간 투자할 수 있습니다. 하락 기간에 자취를 감추는 그런 사람이 되지 않는 것이죠.

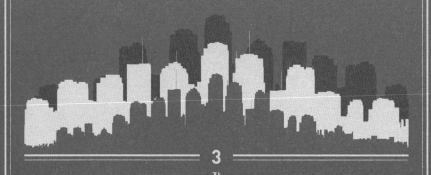

아파트 투자 사이클
이해하기

아파트 투자 결정의 3단계

— 01 —

3장을 본격적으로 시작하기에 앞서, 이런 질문을 던지고 싶네요.

"혹시 부동산 투자가 어려우신가요?"

많은 사람이 부동산 투자가 어렵다고 꼽는 이유는 대부분 '가격'으로 투자 결정을 내리고 있기 때문입니다. 가격이 매우 상승한 상태에서 하락할 것이 두렵거나, 가격이 더욱 큰 폭으로 하락할지도 모른다는 위험성으로 투자를 망설이는 경우입니다. 이와 같이 투자 결정의 기준이 가격이 되면 투자는 더욱 어려워집니다. 결정이 어려우니 계속 망설이게 되고, 계속된 망설임은 적절한 투자 타이밍을 놓치게 합니다.

어떻게 하면 투자 결정을 쉽게 할 수 있을까요? 다음 3단계로 생각해볼 수 있습니다.

① 부동산 시장 흐름 파악
② 상승 흐름 지속성 파악
③ 지역 분석을 통한 저평가 지역 탐색

첫째, 현 부동산 시장의 흐름을 파악해야 합니다. 상승 흐름이면 투자가 가능합니다.

둘째, 상승 흐름이 언제까지 이어질지 예측해야 합니다. 1년이라면 투자하지 않는 것이 좋으며, 2년 이상이라면 투자하는 것이 좋습니다.

셋째, 지역 분석을 통해 저평가 지역을 찾습니다.

이러한 3단계로 투자에 임한다면, 보다 쉽게 투자 결정을 할 수 있습니다. 가장 중요한 건 투자의 베이스가 되는 시장 흐름을 파악하는 것입니다.

기본 이론 및 핵심 용어 설명

— 02 —

기본 이론 및 핵심 용어는 부동산 흐름을 파악하기 위한 기초 지식입니다. 따라서 부동산 투자를 시작하기에 앞서 알아두는 것이 좋습니다.

상승·하락 흐름을 잡아내는 법

아파트 투자 시 가장 중요하게 여겨지는 부분은 시장의 상승과 하락 흐름을 정확하게 파악하는 것입니다. 현재 상승 흐름의 어느 위치에 와 있는지, 그리고 앞으로 어느 정도 상승이 더 이어질지를 판단한 후에 투자 여부를 결정해야 합니다. **즉, 아파트의 투자 기준은 가격이 아니라 시장 흐름이 어느 위치에 있느냐입니다.**

좀 더 자세하게 설명하도록 하겠습니다. 먼저, 흐름이라는 의미에 대해서 알아보겠습니다.

부동산에서 말하는 흐름이란 '**지속성**'을 말합니다. 즉, 지속성이 짧다면 흐름으로 볼 수 없습니다. 일반적으로 **지속성의 기준을 최소 4년으로 잡습니다**. 즉, 4년 이상 상승세를 보인다면 상승 흐름이라고 말할 수 있고, 4년 이상 하락세를 보인다면 하락 흐름이라고 말할 수 있습니다.

흐름이 생기는 기준

모든 아파트 시장에 흐름이 있는 것은 아닙니다. 아파트 시장에서도 흐름이 생기지 않는 경우가 존재합니다.

흐름이 생기려면 먼저 일정 방향으로의 꾸준한 거래가 필요합니다. 예를 들어 상승 흐름이라면, 높아진 호가에도 꾸준한 매수 현상이 발생해야 합니다. 극단적으로 생각해보겠습니다. 1년에 1~2건의 거래만 있다면 이것만으로 방향성을 판단할 수 있을까요? 단순한 거래 지표는 될 수 있어도, 이것으로 흐름을 파악할 수는 없습니다.

결국, 흐름이 보이려면 적어도 일정 이상의 거래가 있어야 합니다. **정확하게 말하면 일정 거래를 만들기 위한 최소한의 '인구수'가 필요합니다.** 적어도 50만 명 이상 거주하는 지역이어야 부동산 시장의 흐름이 만들어질 수 있습니다. 즉, 인구수가 50만이 안 되는 지역은 흐름 파악이 어려우므로 투자처 자체에서 제외됩니다.

50만 명이 안 되는 도시의 경우, 자체 거래량이 적을 뿐더러 외부 투자자로 인해 부동산 시장이 크게 좌우됩니다. 즉, 인구수가 적은 지역일수록 외부 투자자에 의해 가격 등락이 커집니다. 이는 흐름을 보고서 중장기적으로 투자하는 것이 아닌, 투기판에 참여하는 것과 같습니다.

수요 공급 중 무엇이 더 객관적인 지표일까?

다음으로 부동산 시장에서 흐름이 만들어지는 간단한 원리를 살펴보겠습니다. 먼저, **아파트 시장의 가격은 수요량과 공급량이 일치하는 곳에서 결정됩니다.** 여기서 왜 흐름이 생길까요? 2가지 중요한 이유가 있습니다.

잠깐 생각해보겠습니다. 가격이란 수요와 공급이 일치하는 곳에서 만들어집니다. 그렇다면 어떤 상황에서 가격이 꾸준히 상승할까요?

네, 맞습니다. 수요가 공급보다 계속 많아지든가, 공급이 수요보다 부족해지면 그렇습니다. **수요와 공급, 이 둘의 관계는 상대적입니다.** 절대 수치가 있는 건 아닙니다.

그렇다면 상승 흐름은 어떻게 만들어질까요? 상승 현상이 지속되려면 수요가 지속적으로 많거나 공급이 지속적으로 부족해야 합니다. 이를 통해 흐름이 형성됩니다.

우측의 그래프를 보면 수요와 공급의 증감에 따른 변화를 한눈에 확인할 수 있습니다. 여기서 수요는 사람들의 심리와 시장 분위기 등

● 수요·공급 증감에 따른 균형가격, 균형거래량의 이동
 (P: 균형가격, Q: 균형거래량, S: 공급 곡선, D: 수요 곡선)

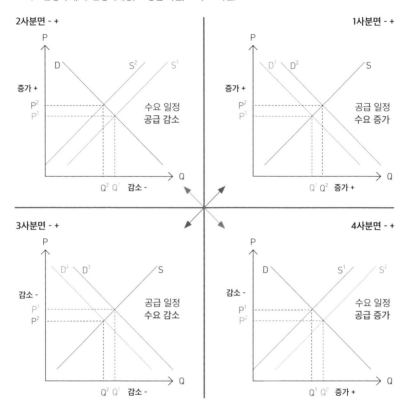

다양한 이유로 결정되므로, 정량적으로 확인할 수 없습니다. 단지 인구수에 비례하여 평균적으로 예측할 수 있습니다.

 하지만 공급은 정확한 수치로 알 수 있습니다. 과거보다 공급이 많은지 적은지를 수치를 통해 비교할 수 있죠. 그래서 **부동산 흐름을 파악할 때 객관적으로 사용할 수 있는 지표가 '공급'입니다.**

아파트 시장 안정화와 건설사의 관계

아파트 시장에서 흐름을 만들지 않고 가격을 안정적으로 유지할 수 있을까요? 시중에서 가격이 안정적인 상품들을 찾아볼 수 있습니다. 예를 들어 배추를 생각해볼까요. 배추의 가격은 아파트에 비하면 상당히 안정적입니다. 가끔 장마철에 가격이 올라가지만 금세 안정을 찾아갑니다. 그 이유는 무엇일까요? 맞습니다. 짧은 시간에 공급이 가능하기 때문입니다.

자, 다시 본론으로 돌아가도록 하겠습니다.

아파트 시장의 중요한 특징은 공급을 원할 때 할 수 없다는 것입니다. 공급의 주체가 영리 집단인 민간 건설사이기 때문입니다. 다시 말해, 건설사는 손해를 본다고 여길 때 아파트를 건설, 즉 공급하지 않습니다.

그렇다면 건설사는 언제 공급을 많이 할까요? 당연히 이익이 발생할 때입니다. 기본적으로 건설사가 이익을 보는 경우는 2가지입니다. 첫 번째는 분양 완판입니다. 미분양이 많이 날수록 손해를 보기 때문이죠. 두 번째는 높은 분양가입니다. 분양가가 높을수록 건설사가 얻는 이익이 커집니다.

먼저 분양 완판에 대해 설명하겠습니다. 분양 완판을 하기 위해서는 아파트 시장이 상승세에 있어야 합니다. 그래야 수요자들이 가격이 오를 것을 기대하고 분양을 받으면서 완판으로 이어지는 것입니다. 이때는 분양가를 높이더라도 아파트 가격 상승이라는 기대감으로 꾸준히 분양이 이루어집니다.

상승 흐름 지속 ◑ 가격 상승 기대감으로 인한 분양 증가 ◑ (분양가 상승에도) 분양 완판 가능

여기서 중요한 게 있습니다. 바로 영리 집단인 건설사는 이익이 나는 상승 흐름에만 분양을 한다는 것입니다. 물 들어올 때 노 젓듯이, 상승 흐름 후반부로 갈수록 더 많은 분양을 진행합니다.

자, 두 번째 특징인 높은 분양가에 대해 설명하겠습니다.

아파트 공급을 위해서는 우선 땅을 확보해야 합니다. 그리고 확보된 땅에 아파트를 건설하는 데는 보통 2~3년이 걸립니다. 우선 이것을 염두에 두어야 합니다.

즉, 수요자가 많아 분양이 이루어지더라도 아파트에 실제로 입주하는 시점은 분양으로부터 2~3년 이후입니다. 건설사 입장에서는 2~3년 뒤를 상관하지 않습니다. 현재 분양을 완판하는 것이 중요하기 때문이죠. 분양만 완판되면 손해 볼 건 없습니다. 그러므로 하락 흐름이 오기 전까지 최대한 많이 분양하려 합니다.

2~3년 뒤에 많은 분양 물량이 실입주로 이어지면서, 수요 대비 공급이 많아지는 상황이 발생합니다. 즉 공급이 수요보다 많아지면 가격이 점차 하락하며, 이는 미분양으로 이어져 공급자인 건설사는 분양을 멈추게 됩니다. 그러면 2~3년 뒤 다시 수요 대비 공급이 부족해지는 상황

이 발생합니다.

따라서 아파트 시장에서는 어쩔 수 없이 상대적으로 공급 부족 시점과 공급 과다 시점이 발생할 수밖에 없습니다. 필연적으로 수요·공급의 균형이 틀어지는 구간이 생기는 것입니다. 아파트는 빈 땅에 착공부터 준공되기까지 2~3년이 걸리고, 만약 땅이 없는 상태라면 토지 확보와 건물 준공까지 일반적으로 5~8년이라는 시간이 소요됩니다. 또한, 재건축처럼 건물을 멸실하여 다시 준공하는 데는 대략 10년이 넘는 시간이 걸리기도 합니다. **이러한 시간적 차이로 수요·공급에 필연적으로 불균형이 만들어지므로, 아파트 시장에서 '상승·하락 흐름'이 만들어질 수밖에 없습니다.**

이런 질문을 하는 분도 계실 겁니다. "공급 기간이 오래 걸리니 꾸준히 공급하면 되지 않느냐?"고 말이죠.

그리되면 좋겠지만 쉽지 않습니다. 앞서 말했듯이, 건설사는 이익이 나지 않는, 즉 분양 완판이 되지 않는 시점에는 공급을 하지 않으므로 꾸준한 공급은 불가능합니다. 그렇다면 국가가 그 일을 도맡으면 되지 않냐는 의견도 나올 법하지만, 막대한 예산이 투입돼야 하기 때문에 실현되기가 매우 어렵습니다.

이렇게 몇 페이지에 걸쳐 아파트 시장의 상승·하락 흐름이 만들어지는 간단한 원리를 알아보았습니다. 좀 더 자세한 내용은 다음 '부동산 사이클의 기본 이해' 부분에서 다루고, 이후에는 아파트 시장을 이해하는 데 있어 중요한 몇 가지 개념을 설명하겠습니다.

미분양이란?

미분양 수치는 부동산 시장 분석에서 매우 중요한 데이터입니다. 미분양 수치로 수요·공급의 균형을 확인할 수 있기 때문입니다. 자, 그럼 미분양에 대해서 좀 더 깊이 있게 살펴보겠습니다.

먼저 미분양이란 쉽게 말하면 부동산 시장의 소화 불량 상태라 할 수 있습니다. 미분양이 많다는 것은 수요에 비해 공급이 많은 상태라는 것이죠.

여기서 '준공후 미분양'에 대해서도 확인할 필요가 있습니다. 준공후 미분양은 미분양 중에서도 '악성 미분양'이라 말할 수 있습니다. 아파트가 준공된 후에도 미분양이 지속되는 상태로서, 일반적으로 투자자뿐 아니라 실수요자에게도 인기가 없는 지역에서 발생하는 경향이 있습니다. 따라서 준공후 미분양이 있는 지역에 투자할 때는 좀 더 면밀하게 분석할 필요가 있습니다.

미분양에 대한 오해와 진실

이제 모든 부동산 투자자가 투자 전에 미분양 데이터를 봅니다. 그런데 많은 투자자가 미분양이 많은지 적은지에 대한 기준을 따로 세우지 않습니다. 또한, 이러한 데이터를 어떻게 활용해야 하는지 모르는 경우도 많습니다.

자, 몇 가지 예를 들어 설명하겠습니다. 먼저, 미분양이 발생하면 무조건 나쁠까요? 정답은 "아니오"입니다.

적정 미분양 수치 아래에서의 미분양 수 증감은 시장에 영향을 주지 않습니다. 갑자기 분양이 많아지면 일시적으로 미분양이 증가할 수 있습니다. 예를 들어, ○○시 미분양 수치가 200호였는데 갑자기 800호로 증가했다고 해서 절대 투자하면 안 될까요? 그렇지는 않다는 것입니다.

따라서 해당 지역의 적정 미분양 수치 이하에서는 증감이 중요하지 않습니다. 상승 흐름이었다면 시간이 흐르면서 미분양은 소화되고 원래 시장의 흐름대로 흘러갈 것이기 때문이죠.

참고로, 적정 미분양 수치는 과거 하락 흐름 시기를 통해 유추해볼 때 아래와 같은 식으로 산출할 수 있습니다.

적정 미분양 수치 = 인구수 × 0.1%

만약 미분양이 적정 미분양 수치를 넘어섰다면 절대 투자해서는 안 됩니다. 또한, 적정 미분양 수치는 넘지 않았지만 추후 분양 물량이 많다면 투자에 신중해야 합니다.

반대로 미분양 수치가 줄어들고 있다면 투자 타이밍일까요? 그렇지도 않습니다. 미분양 수치가 감소하다가 적정 수치 이하로 내려가고, 또 앞으로 분양 물량이 적정 수요 이하로 지속될 때가 적당한 투자 타이밍입니다.

미분양 수치가 적정 이상이지만 앞으로 분양 물량이 급격히 줄어든다면 **좋은 투자 타이밍이 될 수 있습니다. 이런 경우 저점을 잡을 수 있습니다.** 남들이 공포에 떨고 있을 때 좋은 입지를 선점하는 것입니다. 핵심은 미분양 수치로 시장 상황을 파악할 수 있고, **투자 결정에는 앞으로의 공급이 기준이 된다는 사실입니다.**

이렇게 미분양의 중요한 특징을 확인해보았습니다. 투자에 있어서 상당히 중요한 지표이므로 미분양 수치는 매월 체크하는 습관을 들이는 것이 좋습니다. 미분양 수치만으로 그 지역의 상황을 간단하게 파악할 수 있기 때문입니다.

미분양 수치 분석 방법

미분양 수치를 분석할 때는 단순 지역별이 아닌, 서로 연관 있는 지역 단위로 확인해야 합니다. 여기서 서로 영향을 주는 지역 단위를 명확히 알 필요가 있습니다. 서울·경기·인천, 대전·세종, 부산·경남 등입니다.

예를 들자면, 서울의 미분양 수치만 살피지 말고 서울·경기·인천을 합친 미분양 수치로 분석해야 합니다. 수도권은 서로 물량을 공유하여 영향을 주는 관계에 놓여 있기 때문입니다. 그렇다면 물량을 공유하는지 어떻게 알 수 있을까요? 방법은 간단합니다. 전세가격지수의 움직임을 보면 알 수 있습니다. 전세가격은 공급 물량에 비례하여 움직이는 지표 중 하나입니다. 따라서 서울과 경기도가 물량을 공유하지 않는다면, 경기도에 과공급 시 서울과 경기도의 전세가격지수는 상이하게 움직일 것입니다.

그런데 아래 그래프를 보면 20년간 서울·경기도의 전세가격지수는 거의 동일하게 움직이고 있습니다. 즉, 경기도의 과공급으로 인한 전세가격 하락이 서울의 전세가격 하락으로 이어지며, 이는 결국 서울과 경기도가 물량을 공유하는 관계라는 것을 의미합니다. 따라서 물량을 공유하는 관계 지역은 반드시 미분양 수치도 같이 봐야 한다는 결론을 낼 수 있습니다.

그렇다면 미분양에 영향을 줄 수 있는 요인에는 무엇이 있을까요?

● 서울·경기 전세가격지수

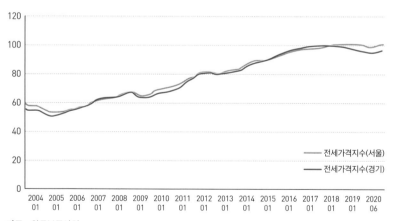

자료 · 한국부동산원

여러 가지 요인이 있겠지만 단 한 가지만 기억하시면 됩니다. 바로 공급입니다. 공급 물량이 많다면 미분양 가능성 또한 커지겠죠. 하지만 신중히 투자하려면 좀 더 정확하게 알아야 합니다.

미분양 발생 조건은 아파트 시장에 적정 수준 이상의 지속적인 과공급이 이루어질 때입니다. 즉, 한두 해 정도 과공급이 된다고 미분양이 위험 수준으로 가진 않는다는 것입니다.

미분양과 정부 정책과의 관계

미분양과 관련하여 많은 사람이 헷갈려 하는 것이 있습니다. 정부 정책(규제)이 사람들의 매수 심리를 완전히 꺾어놓아서, 이로 인해 미분양이 발생할 수 있다고 말입니다.

예를 들어 민간택지 분양가 상한제의 경우를 생각해보겠습니다. 2007년 9월 민간택지 분양가 상한제를 실시할 때, 정책의 본 목적은 분양가에 상한선을 두어 구축 아파트의 가격을 떨어뜨리는 것이었습니다. 그리고 정부의 의도대로 수도권 아파트 시장은 미분양이 급격히 늘어나며 하락세에 접어들었습니다. 그렇다면 분양가 상한제가 미분양에 영향을 미쳤을까요? 부동산 투자에 임한다면 이러한 점을 분석해야 합니다. 즉, 분양가 상한제라는 정책이 미분양을 만든 근본적인 원인인지를 말입니다.

이것은 2007년 9월과 2019년 11월 수도권의 아파트 미분양 추이를

● 경기 지역 아파트 미분양 추이(2005~2021년)

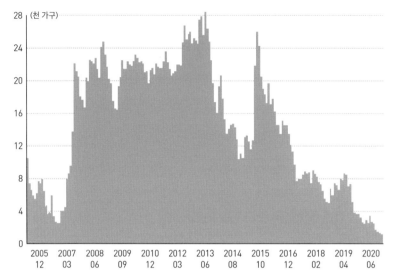

자료 · 아실

● 서울 지역 아파트 미분양 추이(2005~2021년)

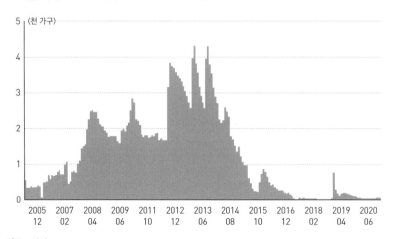

자료 · 아실

비교해보면 알 수 있습니다. 2007년 9월과 2019년 11월 모두 민간택지 분양가 상한제가 실시되었고, 2008년에는 미분양이 더 증가했습니다. 2020년은 오히려 분양가 상한제 이후로 미분양이 더 감소했습니다. 같은 규제지만 서로 다른 결과가 나온 이유는 무엇일까요?

다음 그래프에서 알 수 있듯, 2000년부터 2010년까지 서울·경기 지역에는 적정 수준 이상의 지속적인 아파트 공급이 이루어졌습니다.

2008년 당시 2000년도부터 지속된 과공급이 누적된 상태였습니다. 이후 분양가 상한제 실시로 많은 공급 물량의 분양가가 낮아지니 사람들이 좋은 입지의 분양만을 신청하면서 미분양이 다량 발생한 겁니다. 즉, 분양가 상한제는 미분양의 원인이 아니라 미분양을 가속화하는 촉매입니다. 미분양의 원인은 지속적인 과공급인 것이죠.

하지만 2020년에는 전혀 다른 상황이 펼쳐졌습니다. 2011년부터 지속적으로 공급이 부족해진 데다, 2018~2020년 과공급 이후 2021년부터 다시 공급이 줄어들면서 분양가 상한제가 오히려 '로또 청약'이라는 현상을 촉발했습니다. 이에 따라 경쟁률은 더 높아지고 미분양씨는 말라버리고 말았습니다.

2018~2020년도의 일시적인 공급 증가는 부동산 시장에 영향을 주지 못합니다. 만약, 2020년 이후에 2024년까지 지속적으로 적정 수준 이상 공급이 이루어졌다면 지금같이 상승은 없었을 겁니다. 즉, 같은 정책이지만 당시 공급의 지속성 여부에 따라 상이한 결과가 나왔을 뿐, 정책 자체가 미분양의 원인이 될 수 없습니다.

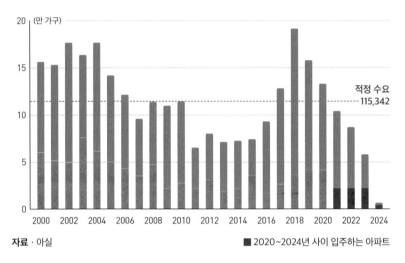

● 서울·경기 지역 아파트 입주 물량 추이(2000~2021년)

자료 · 아실　　　　　　　　　　■ 2020~2024년 사이 입주하는 아파트

전세가율 개념

다음으로 전세가율에 대해 보겠습니다. 전세가율은 매매가격 대비 전세가격의 비율을 의미하며, 대개 아래의 공식으로 계산합니다.

> 전세가율 = 전세가 ÷ 매매가 × 100 (단위: %)

정의와 공식을 알았다면 질문을 드려보겠습니다.

"전세가율을 왜 알아야 할까요?"

전세가율은 부동산 시장을 파악하는 데 굉장히 중요한 지표입니다. 미분양과 마찬가지로, 전세가율을 통해 투자 시점이 부동산 시장 흐름에서 어느 위치에 자리하는지와 흐름 변동 시점을 파악할 수 있습니다.

그렇다면 전세가율이 상승하는 경우와 하락하는 경우에 대해서 살펴보겠습니다.

실제 부동산 시장에서 전세가율이 상승하는 상황은 3가지입니다.

① 매매가 ⬆   전세가 ⬆⬆
② 매매가 ⬇⬇ 전세가 ⬇
③ 매매가 ⬇   전세가 ⬆

그리고 전세가율이 하락하는 조건도 3가지입니다.

① 매매가 ⬆⬆ 전세가 ⬆
② 매매가 ⬆   전세가 ⬇
③ 매매가 ⬇   전세가 ⬇⬇

여기서는 우선 이 정도만 간단히 이야기하고 다음 '부동산 사이클의 이해'로 넘어가서 더 자세히 설명하겠습니다.

전세가율에 영향을 주는 요인

전세가율에 영향을 주는 4가지 주요 요인에 대해서 간단히 살펴보고 넘어가겠습니다(각 요인에 대한 자세한 설명은 다음 장에서 계속됩니다.).

먼저 전세가율은 전세가와 매매가로 결정되므로, 전세가와 매매가에 영향을 준다면 이는 곧 전세가율에 영향을 주는 요인이 됩니다.

전세가와 매매가에 영향을 주는 주요 요인에는 4가지가 있으며, 이는 다음과 같습니다.

---

① 공급 물량
② 전세자금대출
③ 금리
④ 정부 정책

첫째, 공급 물량입니다. 공급량이 많아지면, 결국 전세가가 떨어지며 매매가도 같이 하락하게 됩니다. 또한, 공급량이 부족하면 전세가가 올라가며 이는 매매가 상승을 유발합니다. 이렇게 매매가, 전세가 모두 영향을 주는 공급은 당연히 전세가율에 영향을 주는 큰 요인입니다.

둘째, 전세자금대출입니다. 다음 그래프에서도 볼 수 있듯이 과거 대비 전세자금대출 정책이 확대되면서 전세가격 급등에 촉매 역할을 하고 있습니다. 또한, 이러한 확대 정책을 통해 전세가에도 거품이 끼

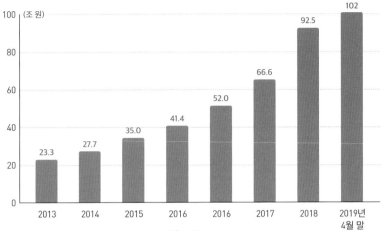

● 금융권 전세자금대출 잔액 추이(연말 기준)

※ 일반 은행 전세, 대출주택금융공사 등 전세대출 포함
자료 · 금융위원회, 한국은행, 한국주택금융공사

고 있습니다.

셋째, 금리입니다. 현재는 전세자금대출이 1% 후반에서 2% 초반의 이율로 가능합니다. 이는 전세자금대출의 유동성을 급격히 증대시켜 전셋값 상승에 큰 영향을 주고 있습니다.

넷째, 정부 정책입니다. 2020년 7월 31일 주택임대차보호법(일명 임대차2법)에 계약갱신청구권 제도가 포함되면서, 임대차 보장 기간이 임차인의 요구에 따라 2년에서 4년으로 늘어났습니다(2년 거주 후 1번 계약갱신청구권 행사 가능). 따라서 부동산 시장에 전세 매물이 과거에 비해 절반 수준으로 줄어들게 됐습니다. 물론 기존 임차인의 경우 계약 갱신청구권으로 4년 거주라는 혜택을 볼 수 있습니다. **그러나 신규 임**

차인(예를 들어, 신혼부부 등)의 수요는 그대로인 상태에서 시장에 전세 거래 가능 물건만 줄어들었습니다. 즉, 수급 불균형이 만들어진 것이죠.

또한, 취득세, 보유세, 양도세 중과로 인해 다주택자가 줄어들고 있습니다. 이는 민간임대주택의 감소로 이어져 시장에 거래 가능한 전세물건이 그만큼 없어지는 것입니다.

이렇게 전세가율의 정의와 전세가율이 상승·하락하는 경우 그리고 전세가율이 변동하는 이유에 대해서 몇 가지 살펴봤습니다. 이 정도면 다음 목차에서 다룰 부동산 사이클을 이해하는 데 크게 문제없을 것입니다. 그럼, 다음 목차로 이어가겠습니다.

쉬어가기 ···

아파트를 바라보는 시각의 차이가 미래에 큰 차이를 만들어냅니다. 아파트는 크게 2가지 개념으로 볼 수 있습니다. '거주' 그리고 '자산'의 개념입니다.
거주의 개념이 크다면 다주택자가 투기꾼으로 보이며, 아파트 가격이 오르는 건 잘못된 것으로 여겨집니다. 하지만 자산이라는 개념이 더 크다면, 아파트는 투자 대상으로 다뤄지며 가격이 오를 수밖에 없다는 것을 깨닫게 됩니다.
자산이란 무엇인가요. 어떤 재화든 희소성이 있다면 자산이 됩니다. 명품백 샤넬과 명품시계 로렉스에 왜 프리미엄이 붙을까요? 사치품이라는 개념에 앞서 희소성이라는 특징을 지니고 있기 때문입니다.
아파트도 토지라는 한정된 재화로 만들어지므로 분명 희소성이 있습니다. 따라서 아파트를 자산으로 받아들여야 합니다. 그렇지 않으면 거주의 기본적

해결 수단에 가격이 올라가는 현 상황을 인정하지 못하면서 불만만 쌓이게
됩니다.

부동산 사이클의 기본 이해

— 03 —

이제 부동산 시장에서 흐름이 만들어질 수밖에 없다는 사실을 아실 겁니다. 이때 시장에서 발생하는 '상승 흐름+하락 흐름'을 하나의 사이클이라 말합니다. 그렇다면 왜 사이클에 대해서 공부해야 할까요?

그 이유는 간단합니다. **가장 확실한 투자는 상승 흐름에 투자하는 것이며, 그중 상승 흐름 초반에 투자하는 것이 가장 중요합니다. 상승 흐름 초반에 투자하면 가장 큰 수익금과 수익률을 만들 수 있습니다.** 따라서 사이클 공부는 필수이며, 이는 투자의 핵심이라 할 수 있습니다.

부동산 투자의 상승·하락 흐름을 알기 위해서는, '기본 사이클'에 대한 이해가 선행되어야 합니다. 물론 제가 여기서 설명하는 사이클로 항상 100% 정확한 예측을 할 수 있다고 볼 수는 없습니다. 그럼에도 부동산 시장의 흐름을 이해하는 데 기초적인 수단이므로 정확히 이해하고 있어야 실전에서 사이클 이론을 응용할 수 있습니다.

상승기 초반부터 하락기 후반까지의 순서로 설명하도록 하겠습니다.

● 상승기·하락기에 따른 매매가·전세가·전세가율 추세

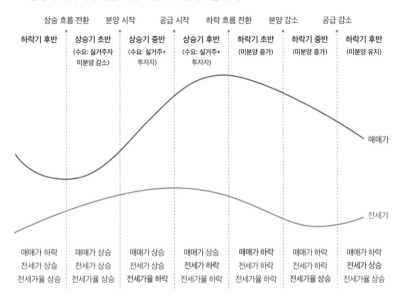

	상승 흐름 전환	분양 시작	공급 시작	하락 흐름 전환	분양 감소	공급 감소
하락기 후반	상승기 초반 (수요: 실거주자 미분양 감소)	상승기 중반 (수요: 실거주+ 투자자)	상승기 후반 (수요: 실거주+ 투자자)	하락기 초반 (미분양 증가)	하락기 중반 (미분양 증가)	하락기 후반 (미분양 유지)

매매가

전세가

| 매매가 하락
전세가 상승
전세가율 상승 | 매매가 상승
전세가 상승
전세가율 상승 | 매매가 상승
전세가 상승
전세가율 하락 | 매매가 상승
전세가 하락
전세가율 하락 | 매매가 하락
전세가 하락
전세가율 하락 | 매매가 하락
전세가 하락
전세가율 상승 | 매매가 하락
전세가 상승
전세가율 상승 |

상승 흐름 초반

상승 흐름 초반, 즉 상승기 초반은 과거의 오랜 침체기인 하락기 후반 이후에 찾아옵니다. 하락 흐름 후반에 이르면, 수요자들은 매매를 꺼리고 전세 거주를 택합니다. 따라서 하락기 후반을 먼저 설명드리면 매매 수요가 적고 전세 수요가 많은 상태로, 매매가는 떨어지고 전세가는 점점 상승하게 됩니다.

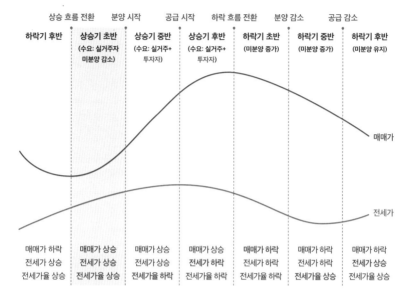

● 상승기·하락기에 따른 매매가·전세가·전세가율 추세

	상승 흐름 전환	분양 시작	공급 시작	하락 흐름 전환	분양 감소	공급 감소
하락기 후반	상승기 초반 (수요: 실거주자 미분양 감소)	상승기 중반 (수요: 실거주+ 투자자)	상승기 후반 (수요: 실거주+ 투자자)	하락기 초반 (미분양 증가)	하락기 중반 (미분양 증가)	하락기 후반 (미분양 유지)

매매가

전세가

매매가 하락 전세가 상승 전세가율 상승	매매가 상승 전세가 상승 전세가율 상승	매매가 상승 전세가 상승 전세가율 하락	매매가 상승 전세가 하락 전세가율 하락	매매가 하락 전세가 하락 전세가율 하락	매매가 하락 전세가 하락 전세가율 상승	매매가 하락 전세가 상승 전세가율 상승

전셋값이 상승하다 보면 실거주자 입장에서 매매와 전세 실거주 비용의 폭이 점점 줄어들게 됩니다. 이에 따라 많은 전세 수요자가 2년마다 계약을 갱신하거나 이사하는 것보다는 차라리 주택을 매수하여 안정적으로 거주하는 방법을 택합니다. 이에 따라 상승기 초반으로 시장 흐름이 넘어가게 됩니다.

이렇게 상승기 초반에서는 전세가 상승으로 매매 실거주 대비 전세 거주 비용 차이가 줄어들수록 전세 수요가 매매 수요로 넘어가게 됩니다. 이렇게 매매 수요가 점차 늘어나며 매매가 또한 천천히 상승하는 모습을 보입니다.

아직은 매수에 확신을 가질 만한 시기가 아니므로, 매매가가 천천히 상승하며, 전세가와 차이가 벌어지면 이내 전세 수요가 늘어나고 전셋값은 뒤따라 상승합니다. 참고로 이 시기에는 매매가보다 전세가의 상승률이 더 크며, 전세가율도 꾸준히 상승하게 됩니다. 이렇게 엎치락뒤치락 매매가와 전세가가 모두 상승하는 시기가 상승기 초반입니다. 아래와 같이 실제 아파트 실거래가 그래프를 보면 이해하기 더 쉬울 겁니다.

● 미금역 까치마을 롯데선경아파트 매매가·전세가 추이

자료 · 호갱노노

여기서 중요하게 살펴야 할 건 매매가를 밀어 올리는 원인이 전셋값이라는 겁니다. 그리고 전셋값 상승의 원인은 앞서 오랜 하락 기간 동안 건설사의 분양이 멈췄고, 이후 시간이 흐르며 시장에 공급 물량이 부족해진 탓입니다. 즉, 상승 흐름 초반을 만들어내는 본질은 공급 부족입니다.

심화 학습 ① ··

전세가율로 상승·하락 흐름의 위치를 대략 알 수 있습니다. 많은 투자자가 전셋값 상승으로 매매가를 올리는 시점을 전세가율로 판단하곤 했습니다. 지역마다 상이하지만, 수도권 기준 전세가율 60% 정도 선에서 전세 거주자들이 매매 수요로 이동합니다.

여기서 중요한 건 상승 시점을 확인하는 지표가 전세가율이라는 점이지, 60%가 아닙니다. 기준이 되는 수치는 항상 변할 수 있기 때문이죠.

● 서울 전세가율

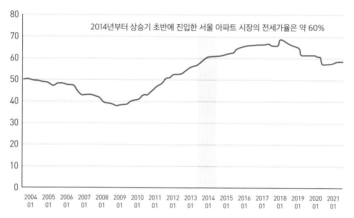

자료 · 한국부동산원

그렇다면 언제 이 기준이 변경될까요? 앞서, 수요 변경 원인이 거주 비용이라고 설명한 바 있습니다. 그러므로 전세가율이 60%더라도 거주 비용에 차이를 만들 수 있는 건 바로 '금리'입니다. 즉, 금리가 변동되면 이 기준은 변할 수 있다는 말이죠.

예를 들어, 금리가 낮아졌다고 해봅시다. 그렇다면 과거엔 전세가율 60% 선에서 전세 수요가 매매 수요로 이동했다면, 금리 하락 시에는 더 낮은 선에서 이동할 수도 있을 겁니다. 정확히 전세가율 얼마쯤에서 상승 흐름 변곡점이 올지는 알 수 없습니다. 하지만 기준의 변경 요인을 숙지하고 있으면 저금리 상황에서 전세가율 60%선 도달 전에 선제 투자가 가능합니다. 제가 분석한 결과로는 현재 저금리 기조에서 전세가율이 50~55% 정도로 올라왔을 때 공급 부족이라면 상승 흐름 초반으로 충분히 판단할 수 있습니다.

따라서 다음 부동산 사이클에서 전세가율이 50~55% 부근에 도달하면 실거주할 집을 대출을 이용하여 매매하고(상승 흐름 초반 규제 완화 상태) 그리고 점점 전세가율이 올라가면 갭투자로 주택 수를 늘려나가는 전략을 사용하시면 됩니다.

심화 학습 ②

매매에서 전세로(또는 반대로) 수요가 이동하는 데에 영향을 주는 요인이 하나 더 있습니다. 바로 노후도입니다. 노후도가 심할수록 전세가격 상승 폭은 낮아집니다. 따라서 전세가율 상승의 한계치도 떨어집니다.

우리나라의 경우 1980년대 중반부터 아파트가 대규모 건설되었습니다. 따라서 2020년 기준으로 35년 차 아파트 비중이 굉장히 커졌습니다. 이런 부분 또한 서울 또는 수도권 평균 전세가율을 낮추는 데 기여하고 있습니다. 따라서 전세가율은 상승 흐름 전환을 확인하는 지표이긴 하나 절대 수치는 아니라는 점을 명심하시기 바랍니다.

다시 본론으로 돌아와서 전세 수요가 매매 수요로 변경되면서 상승하는 기간을 저는 '상승 흐름 초반'이라고 부릅니다. 이때 일어나는 특징은 '매매가 상승', '전세가 상승', '전세가율 상승'입니다. 그리고 또 하나의 특징은 **'미분양 감소'**입니다. 미분양 감소는 하락 흐름에서 상승 흐름으로의 전환을 파악하는 중요한 지표가 됩니다.

상승 흐름 초반에 대해서 추가 설명을 덧붙이자면, 고수가 아닌 이상 이 시점에 투자는 잘 하지 않습니다. 더 정확히 말하면 안 하는 게 아니고 못 하는 것이죠.

상승 흐름 초반 매수는 대부분 실수요자로 구성되어 있습니다. 아직은 투자하기에 확실한 시점도 아닐 뿐더러 당장 수익률이 극대화되는 시점도 아니므로 대부분 투자자는 관망합니다.

또 하나의 특징은 '하방경직성'입니다. 실거주자들로 만들어진 가격은 하방경직성이 굉장히 강합니다. 이러한 매수자는 실거주 용도로 집을 매수하며 장기 거주할 목적을 가지고 있습니다. 현재 가격을 매수자인 실거주자들이 인정하기 때문에, 가격은 특별한 경제 위기가 오지 않는 이상 상승기 초반 이하로 하락하기 어렵습니다.

상승 흐름 초반에서 중반으로 넘어가는 시기는 전세가율이 가장 높은 시점입니다. 이때 투자하면 투자금도 적게 들며 수익률을 극대화할 수 있습니다. 또한, 이 시기엔 대출 규제 등 각종 규제도 적은 상태이기 때문에 투자 환경 측면에선 난도가 가장 낮습니다.

따라서 이 시기에 투자하는 것이 중요하며, 이는 절대적인 부동산 공부가 선행되어 본인 스스로 확신을 가지고 있을 때 가능합니다. 그렇기에 지금 부동산 가격이 너무 올랐다고 하여 포기하지 말고, 내공을 쌓을 수 있는 시점이라 생각하고 열심히 공부하시기 바랍니다.

상승 흐름 중반

상승기 중반의 가장 큰 특징은 투자자가 붙기 시작하는 시점이라는 것입니다. 즉, 매수 수요(실거주+투자자)가 늘어나기 시작합니다. 물론 매수 수요엔 무주택 실거주자들도 있으며 시간 흐름에 따라 1주택 실거주자들도 투자자로 변하는 그런 시기이죠. 내가 살고 있는 동네가 가격이 계속 오르면 한 채 더 사고 싶지 않겠습니까?

● 상승기·하락기에 따른 매매가·전세가·전세가율 추세

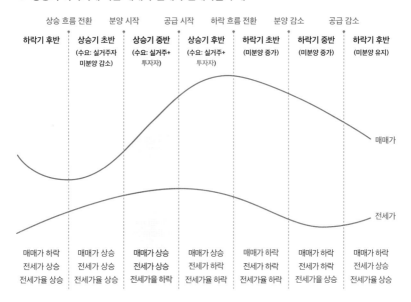

이때 시장의 특징은 '매매가 상승', '전세가 상승', '전세가율 하락'입니다. 상승 흐름 초반과 다른 점은 투자자들이 붙으며 수요와 더불어 매매가도 급격히 상승하기 시작한다는 것입니다. 여기서 몇 가지 특징이 있는데요. 그중 하나는 매매가가 전세가보다 더욱 가파르게 올라간다는 점입니다. 여기서 그 이유를 알아야 합니다.

> ① 매수 수요 증가가 원인 → 실거주+투자자 증가
> ② 매매 시에 대출을 이용하거나 갭투자를 활용한 레버리지 투자도 가능하므로 실수요만 있는 전세가보다 더 급하게 가격이 상승함

그러므로 전세가보다 매매가가 빠르게 올라가며 전세가율은 하락하게 됩니다. 이것은 일반적인 이론이며 여기서 추가로 더 알아야 할 내용이 있습니다.

심화 학습 ④

먼저, 전세가에 대한 최근 변화입니다. 전세자금대출은 2009년부터 확대되기 시작했습니다. 따라서 2009년 이전에는 전세가를 순수 실거주 가치를 보여주는 비용이라고 많이 정의했었습니다.

하지만 전세자금대출이 생기면서 상황은 급변했습니다. 전세자금대출은 2013년 박근혜 정부 때부터 더욱 확대되기 시작했습니다. 당시 전세가격이 오르자 이를 지원하기 위한 정책이었죠.

그때 시작한 전세자금대출이 점점 확대되어 오면서 현재는 최대 5억까지 거

치(이자만 상환)로 대출을 받을 수 있습니다. **최근 저금리와 맞물리면서 주택담보대출 못지않게 전세자금대출로 유동성이 확대되며 전세가 상승에 큰 역할을 하고 있습니다.**

심화 학습 ②

상승기 중반에는 또 하나의 큰 특징이 있습니다. 부동산 시장에서 가장 중요하다고 볼 수 있는 공급의 확대를 눈치챌 수 있는 시점이라는 사실입니다. 매수 수요자가 많아지면서 건설사는 급격하게 분양을 많이 하기 시작합니다. 이런 분양 증가는 여러 의미를 가지고 있습니다.

먼저 미래의 대규모 공급을 확정합니다. 중요한 건 **'확정'**입니다. **주택 시장에선 단순 공급 예정이 아닌 '확정된 공급'이 중요합니다.**

그리고 인허가 물량을 통해 공급 확대를 빨리 확인할 수 있습니다. 즉, 인허가 물량을 확인함으로써 미래의 물량을 예측할 수 있습니다. 하지만 인허가 이후 착공하지 않는 경우가 종종 있다는 점을 주의해야 합니다. 현재 기준 최대 5년까지 인허가 후 착공을 연기할 수 있습니다. 그래서 인허가는 미래 물량을 예측하는 수단으로 참고할 뿐, 절대 지표는 확정된 착공 물량으로 파악해야 합니다.

부동산은 확정된 물량이 중요합니다. 정부에서 발표하는 예정 물량에 흔들릴 필요가 전혀 없습니다.

심화 학습 ③

분양권에는 프리미엄이 붙습니다. 그 이유는 다양합니다. 기본적으로 상승 흐름 초반에는 오랜 기간 공급이 적은 상태였기에 신축 아파트의 희소성이 커져

프리미엄이 형성됩니다. 물론 분양권·신축 아파트 가격 상승은 주변 구축 아파트 가격 상승으로도 이어집니다.

프리미엄이 상승하면 분양 열기는 더욱 과열되며 영리 집단인 건설사는 더 많은 분양을 이 시기에 하려고 합니다. 건설사는 이익을 증대시키는 것이 가장 큰 목적이기 때문입니다.

그렇다면 분양이 과열된 시기에 분양이 더 늘어나는 것은 당연한 현상입니다. 이런 관점에서 프리미엄 상승과 청약 과열은 건설사의 일반 분양가를 상승시킬 만한 힘이 됩니다. 일반 분양가가 서서히 증가하면 주변 아파트의 시세를 더욱 상승시키는 시너지 효과가 나타납니다.

여기서 가장 중요한 점은, 여러 번 강조했듯 **이렇게 청약 열기가 높을 때 민간 건설사가 최대한 분양을 많이 하려고 한다는 점입니다.**

한국은 선분양제도이기 때문에 건설사 입장에서 분양만 완료된다면 손해 볼일이 없습니다. 그러니 물 들어올 때 노 젓듯 분양이 쏟아집니다. 이는 3~6년 뒤 과공급과 하락 흐름 전환을 만들어내는 주요 원인이 됩니다. 뒤에서 더 자세히 설명하겠습니다.

한편, 상승기 중반 부동산 시장에 주목받고 있는 상품이 또 있습니다. 바로 재건축·재개발입니다. 분양권과 동일하게 신축 아파트로 재탄생할 수 있기 때문에 상승기 중반에서 분양 못지않게 재건축 아파트도 인기가 높아집니다. 따라서 가격도 크게 상승하게 됩니다.

그러므로 재건축 아파트 투자 타이밍 또한 상승기 초중반이라 할 수 있습니다. 재건축에 대해선 뒤에서 좀 더 자세하게 다루겠습니다.

상승 흐름 후반

상승기 후반을 알 수 있는 가장 중요한 지표는 바로 전세가 하락입니다. 전세가는 왜 하락할까요?

상승기 중반에 시작된 분양 아파트들이 공급을 시작하기 때문입니다. 공급 물량에는 실거주 목적도 있겠지만 투자 목적의 물건도 많습니다. 따라서 입주 시점에 부동산 시장에 전세 물건이 쏟아져 나옵니다.

먼저 입주 세대가 일시적으로 많아지면 필연적으로 전세가는 떨어지게 됩니다(물론 현재는 계약갱신청구권, 전월세 상한제 등으로 전세 매물이 부

● 상승기·하락기에 따른 매매가·전세가·전세가율 추세

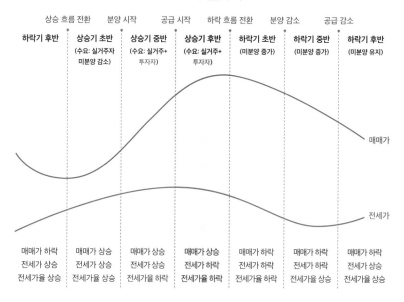

족하여 입주 시에도 전세가가 떨어지지 않는 특이한 현상이 나타나고 있기는 합니다). 일시적으로 입주 물량이 늘어나더라도 시간이 지나면 전세 매물이 소진되며 전세가격은 다시 올라갑니다. 그러나 일반적으로는 상승 후반으로 갈수록 입주 물량이 많아지는 가운데 전세 매물이 소진되지 못하면서 전세가는 계속 떨어지게 됩니다.

즉, 공급 물량이 지속적으로 늘어나고 시장에서 이를 소화하기 어려운 상태에서 처음 나타나는 현상이 전세가 하락 흐름 전환입니다. 이는 일시적 하락이 아닌 하락 흐름으로의 전환을 의미합니다.

심화 학습 ①

이 구간의 또 중요한 특징이 있습니다. 상승기 중반을 넘어가면서부터 잦은 정부 규제가 발표된다는 점입니다. 이때부터 투자 난도가 높아진다고 볼 수 있습니다. 말 그대로 난도가 높아진다는 것이지, 투자를 못 하는 건 아닙니다. 이때 부동산 시장에 대한 공부가 부족하면 상승 후반이지만 지금같이 상승 흐름이 아직 많이 남았을 때 그릇된 판단으로 매도해버릴 수 있다는 점을 유의해야 합니다. 주변에 이러한 경우를 자주 봤습니다. 큰 수익을 낼 수 있었지만 잘못된 선택 한 번으로 수익의 이익이 날아가게 됩니다. 그래서 부동산 흐름 공부가 가장 중요하며 선행되어야 한다는 것이죠.

심화 학습 ②

규제에 대해서 추가로 설명하도록 하겠습니다. 규제는 말 그대로 규제 그 자체일 뿐입니다. 시장의 흐름을 거스를 순 없다는 것이죠. 오히려 잘못된 규제는 역효과로 가격 상승을 부추기기도 합니다. 그래서 상승 흐름에서 규제도 호재로 반영된다는 말을 들어보셨을 겁니다. 그 말은 사실입니다.

그렇다면, 투자자 입장에서 규제에 어떻게 대처해야 할까요? 먼저, **규제를 시간 끌기로 받아들이는 게 좋습니다.** 정부 입장에서 상승 흐름을 하락 흐름으로 단기간에 바꾸는 건 불가능합니다. 공급이 몇 개월 만에 뚝딱 나오는 것이 아니기 때문이죠.

만일 무, 배추, 상추처럼 바로 공급이 가능하다면 부동산 가격은 일정하게 상승 폭을 유지할 수 있을 겁니다. 하지만 부동산의 경우 공급에 최소 2~3년이라는 시간이 소요됩니다. 게다가 택지(바로 아파트로 공급할 수 있는 빈 토지를 말함)가 없다면 보상 이후에나 공급이 가능하므로 최소 5년 이상의 시간이 걸립니다.

이렇게 실제 공급이 이루어질 때까지는 오랜 시간이 걸리므로 공급 시점까지 최대한 시간을 끌기 위해 규제가 나오는 것입니다. **이러한 규제들은 시간이 흐르면서 시장에 이내 적응되어 효과의 지속성이 떨어진다는 특징을 가지고 있습니다.**

강력한 규제는 시장을 위축시켜 조정을 길게 만들기도 합니다. 하지만 강한 규제도 6개월을 넘기기 힘들고 원래 상승 흐름대로 가게 되어 있습니다. 오히려 규제가 계속될수록 시장에는 내성이 생겨 그 효과는 짧아집니다. **효과가 짧아지니 상승 후반부로 갈수록 규제는 잦아지게 되지만, 그럼에도 당황하지 않고 그때마다 전략을 수정하여 시장에 대응하면 됩니다.**

이번 주택 시장 상승 사이클에서도 상승기 후반부에 공급 물량이 많았습니다. 수도권 기준 2018~2020년 동안 연간 15만 호 이상이라는, 단기간에 역대급 공급 물량이 쏟아지기도 했습니다. 그런데 왜 지금같이 상승 흐름이 계속되는 것일까요?

앞에서도 강조했듯이, 문제는 공급의 지속성입니다. **적정 수준 이상을 계속 공급하면 미분양이 발생하고, 이것이 한계치를 넘어가면 하락 흐름으로 전환되는 것입니다.**

즉, 2021년 이후에도 15만 호 이상 2~3년 더 공급할 계획이 있었다면 주택 시장은 하락 흐름으로 충분히 전환됐을 수 있습니다. 하지만 2021년부터 공급 물량이 급격히 부족해지면서 지금의 상승세가 이어지고 있습니다. 이것이 본질입니다.

한편, 공급에 있어 순공급도 중요합니다. 순공급이란 멸실 물량을

● 서울 주택 입주 및 멸실 물량 추이

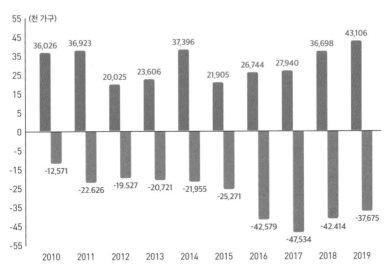

• 입주 물량은 아파트 기준임
• 2018년과 2019년은 정비사업(2018년 4분기 조사 기준) 추정 물량임
자료 · 국토교통부, 부동산114

제외한 공급 물량을 말합니다. 2018~2020년에 대규모 공급이 있었지만 멸실 물량을 고려한다면 실제로는 역대급 물량으로 보기 힘듭니다. 아파트 노후화로 앞으로 멸실 물량은 꾸준히 증가할 것입니다. **따라서 향후 아파트 공급 물량을 고려할 때 반드시 멸실 물량을 고려한 순수 공급 물량을 파악해봐야 합니다.**

하락 흐름 초반

이제 하락 흐름에 대해 다뤄보도록 하겠습니다. 하락기 초반에는 상승기 중반에 분양된 아파트들이 줄줄이 입주 시점에 도래합니다. 이에 따라 공급이 누적되며 시장에서 소화 불가능한 상태가 되면 결국 매매가격 하락으로 이어집니다. '누적 공급'이 매매가격 하락을 부추기는 셈인데, 여기서 중요한 건 '누적'입니다. 즉, 일시적으로 늘어난 공급은 시장의 흐름을 바꾸지 못합니다.

일반적으로 하락 흐름 초반에는 분양 물량이 줄었어도 분양은 아직 진행되고 있습니다. 이는 하락기가 중반으로 접어들더라도 공급이 갑자기 줄어드는 것이 아닌 일정 기간 계속된다는 의미입니다. 참고로 상승기 후반에 고분양가로 분양을 여러 채 받은 투자자라면 몇 년 뒤 파산할 위험이 있습니다. 실제로 2010~2012년 부동산 시장 하락기에, 다수의 분양권을 보유하고 있다가 파산한 분양권 투자자가 많습니다.

● 상승기·하락기에 따른 매매가·전세가·전세가율 추세

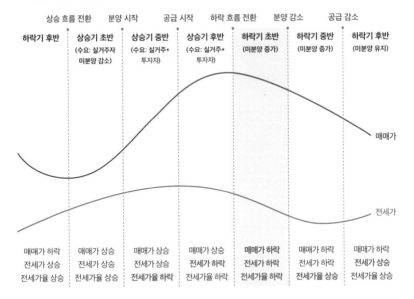

| 상승 흐름 전환 | 분양 시작 | 공급 시작 | 하락 흐름 전환 | 분양 감소 | 공급 감소 |

| 하락기 후반 | 상승기 초반
(수요: 실거주자
미분양 감소) | 상승기 중반
(수요: 실거주+
투자자) | 상승기 후반
(수요: 실거주+
투자자) | 하락기 초반
(미분양 증가) | 하락기 중반
(미분양 증가) | 하락기 후반
(미분양 유지) |

매매가

전세가

| 매매가 하락
전세가 상승
전세가율 상승 | 매매가 상승
전세가 상승
전세가율 상승 | 매매가 상승
전세가 상승
전세가율 하락 | 매매가 상승
전세가 하락
전세가율 하락 | **매매가 하락**
전세가 하락
전세가율 하락 | 매매가 하락
전세가 하락
전세가율 상승 | 매매가 하락
전세가 상승
전세가율 상승 |

하락기 초반의 주요 특징은 매매가격 하락이 보이지만 아파트 공급은 지속되면서 미분양이 점점 늘어난다는 점입니다. 그리고 적정수준 이상으로 미분양이 증가하면 완전히 하락 흐름으로 전환됩니다. **따라서 미분양 증가는 하락 흐름 전환을 판단하는 중요한 지표가 됩니다.**

앞서 이야기한 대로, 미분양이 늘어나면 건설사는 분양을 줄이거나 계획된 분양을 연기하기 시작합니다. 건설사 입장에서 미분양은 엄청난 적자이기 때문이죠.

따라서 투자자 입장에서 하락 흐름을 예측하는 것은 굉장히 중요합니다. 이 시점을 기준으로 투자 전략을 세워야 수익을 극대화하며 리스크를 줄일 수 있기 때문이죠. 불가능하다고요? 전혀 그렇지 않습니다.

하락 흐름 전환의 가장 큰 핵심은 무엇일까요? 뒤에서도 여러 번 설명하겠지만 결국은 과공급의 누적입니다. 즉, 공급이 핵심이며 공급이 늘어나면 매매가는 떨어질 수밖에 없습니다. 그런데 어느 정도를 공급이 많다고 할 수 있을까요? 여기에는 정답은 없지만, 기본적인 예측 방법은 있습니다.

매매가가 떨어지려면 먼저 과공급이 무조건 있어야 합니다. 개인적으로 과공급은 부동산 앱에서 제공하는 적정 수요량보다 1.5배 많을 때입니다. 적정 수요량은 해당 시도 인구수의 0.5% 정도로 계산하는 게 일반적이지만, 이는 평균적인 데이터일 뿐입니다. **중요한 건 몇 배로 많이 공급하느냐가 아니라, 적정 이상 수준으로 '얼마나 오랫동안' 공급할 수 있느냐입니다.**

이것을 알 수 있는 방법은 3가지입니다.

---

① 미분양 물량 증가
② 청약 경쟁률 하락
③ 미분양 발생 이후 적정 수준의 공급 지속

첫째, 미분양이 늘어나야 합니다. 미분양은 과공급을 알 수 있는 지표인 만큼, 미분양이 늘어났다면 과공급이 진행되고 있다고 판단할

수 있습니다.

둘째, 청약 경쟁률이 낮아져야 합니다. 청약 경쟁률이 높다는 건 아직 시장에 공급이 부족하다는 의미입니다.

셋째, 과공급 이후 미분양이 발생함에도 적정 수준 이상의 공급이 계속돼야 합니다. 과공급은 있었는데 그 이후에 급격하게 공급이 줄어든다면 부동산 시장은 다시 상승세로 전환됩니다.

정리해보면 적정 이상의 공급을 얼마나 오랫동안 지속할 수 있느냐가 하락 흐름을 판단하는 가장 중요한 핵심이라 할 수 있습니다.

심화 학습 ①

누적 공급에 대해 추가 설명합니다. 가끔 누적의 기준을 수치로 잡아달라고 요청하는 분들이 있습니다. 결론부터 말하자면, 데이터를 분석하여 스스로 잡아야 합니다. 수시로 기준이 변경되기 때문에 매번 알려드릴 수 없습니다.

예를 들어 누적이라 하면, '적정 수요 이상 4년 공급이다'라고 기준을 잡을 수 없다는 것입니다. **누적의 양과 기간은 과거에 얼마나 공급이 부족한 기간이 있었느냐에 따라 달라지기 때문이죠. 또한, 인구수·세대수도 영향을 주게 됩니다. 따라서 앞서 이야기한 데이터를 바탕으로, 시시각각 변하는 기준을 본인 스스로 계속 수정해가야 합니다.**

그럼에도 제 기준을 이야기하자면, 2021년 수도권 기준 15만 호 이상 4년 공급이 확정되어야 누적 공급이라 보고 있습니다. 그런데 2021년과 2022년에 공급 부족 기간이 계속된다면 그 시점에 판단하는 기준은 또 달라질 것입니다.

만약 데이터 분석이 어렵다면 다소 타이밍이 늦을 수 있지만 확인할 수 있는 다른 방법이 있습니다. 바로 앞서 이야기한, 미분양 수치입니다. 과공급의 결과는 결국 미분양으로 나옵니다. 즉, 미분양이 과해지고 있다면 하락 흐름 전환을 생각하고 대응해야 합니다. 문제는 미분양이 꾸준히 상승해야 한다는 것입니다. 시장이 소화하지 못할 수준 이상으로 넘어가야 결국 배탈이 나게 됩니다. 수도권 기준으로 미분양 한계치는 2만 호이며, 매도 타이밍은 1만 5천 세대가 넘어가고 추후 입주 물량이 적정 이상일 때입니다.

하락 흐름 중반

하락기 중반으로 가면 사람들은 아파트 매수를 두려워합니다. 상승기 후반에 영끌하여 매수한 사람들의 파산 소식을 주변 지인이나 기사를 통해 접하기 때문입니다. 아파트 가격 하락과 대출 이자를 견디지 못하고 사람들이 낮은 가격에 아파트를 매도하면서 본격적인 공포의 하락 시장이 시작됩니다.

이 시기에 매수 심리는 완전히 죽어버리고 대부분의 사람은 전세 거주를 선택합니다. 물론 미분양 증가로 분양은 거의 이루어지지 않습니다. 분양이 줄어드는 건 곧 2~3년 이후 공급 물량이 줄어든다는 의미입니다. 이는 다시 상승을 시작할 수 있는 원인이 됩니다. 하락 흐름 중반의 특징은 '매매가격 하락', '전세가격 하락', '전세가율 상승'입니다.

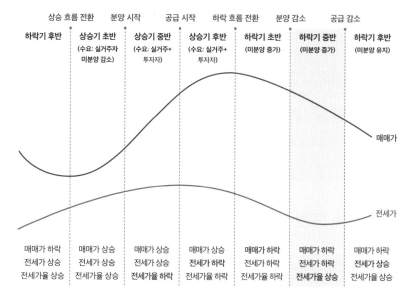

● 상승기·하락기에 따른 매매가·전세가·전세가율 추세

| 상승 흐름 전환 | 분양 시작 | 공급 시작 | 하락 흐름 전환 | 분양 감소 | 공급 감소 |

하락기 후반	상승기 초반	상승기 중반	상승기 후반	하락기 초반	하락기 중반	하락기 후반
	(수요: 실거주자 미분양 감소)	(수요: 실거주+ 투자자)	(수요: 실거주+ 투자자)	(미분양 증가)	(미분양 증가)	(미분양 유지)

매매가

전세가

매매가 하락	매매가 상승	매매가 상승	매매가 상승	매매가 하락	매매가 하락	매매가 하락
전세가 상승	전세가 상승	전세가 상승	전세가 하락	전세가 하락	전세가 하락	전세가 상승
전세가율 상승	전세가율 상승	전세가율 하락	전세가율 하락	전세가율 하락	전세가율 상승	전세가율 상승

하락 흐름 후반

시간이 흘러 공급이 부족해지면 전세가와 함께 전세가율이 상승하면서 하락기 후반을 맞이하게 됩니다. 그리고 공급이 오랜 기간 부족해지면 다시 매매가격이 슬금슬금 올라가는 상승기가 시작됩니다.

이 시기에는 아직 모두가 공포에 겁에 질려 있으며, 많은 사람이 재산에 큰 손해를 입은 상태입니다. 또한 부동산은 하락한다는 심리가 지배적이며, 실거주를 제외하고는 거래가 없는 상태입니다. 그러나 공포 속에서 곧 다가올 기회가 자라나고 있는 시점이기도 합니다. 따라서 시장에 관심을 가질 필요가 있습니다.

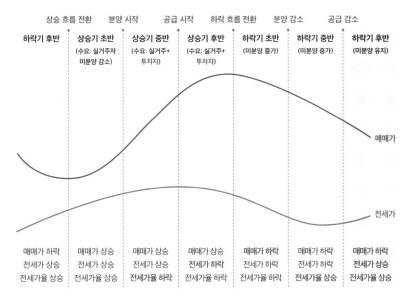

● 상승기·하락기에 따른 매매가·전세가·전세가율 추세

	상승 흐름 전환	분양 시작	공급 시작	하락 흐름 전환	분양 감소	공급 감소
하락기 후반	**상승기 초반** (수요: 실거주자 미분양 감소)	**상승기 중반** (수요: 실거주+ 투자자)	**상승기 후반** (수요: 실거주+ 투자자)	**하락기 초반** (미분양 증가)	**하락기 중반** (미분양 증가)	**하락기 후반** (미분양 유지)

매매가

전세가

매매가 하락 전세가 상승 전세가율 상승	매매가 상승 전세가 상승 전세가율 상승	매매가 상승 전세가 상승 **전세가율 하락**	매매가 상승 **전세가 하락** 전세가율 하락	매매가 하락 전세가 하락 전세가율 하락	매매가 하락 전세가 하락 **전세가율 상승**	매매가 하락 **전세가 상승** 전세가율 상승

결론

이렇게 부동산 사이클에 대해서 자세히 설명해보았습니다. 이해하기 어려운 부분이 있을 수 있습니다. 그렇지만 위의 내용을 정확히 이해 했다면 부동산 시장 흐름을 결정하는 본질이 무엇인지 분명하게 알 수 있을 거라 확신합니다.

다음 목차부터는 부동산 시장의 역사를 공부해보고, 사이클 중간 중간마다 펼쳐지는 수많은 이슈가 부동산 시장 흐름에 어떤 영향을 줄 수 있는지에 대해서 살펴보겠습니다.

부동산 시장의 역사를 통한 미래 전망

— 04 —

부동산 시장 역사 공부

부동산 시장의 역사를 되돌아보며 흐름을 분석하는 건 중요합니다. 주택 시장의 경우, 상승·하락 흐름의 본질을 확인하는 데 과거를 되돌아보며 분석하는 것만큼 좋은 공부가 없습니다. 아파트 시장은 앞에서 설명한 바와 같이 사이클을 만들며 상승·하락 흐름을 반복합니다. 그리고 부동산 규제는 반복되는 경우가 상당수입니다. 그러므로 과거 부동산 시장의 역사를 공부하는 건 미래 전망에 필수적인 일입니다.

여기서는 2008년부터 2020년까지 부동산 시장의 중요 포인트들을 설명하도록 하겠습니다. 먼저 2008년은 꼭 짚고 넘어가야 합니다. 세계 금융 위기가 있었던 해이기 때문입니다. 이는 미국의 서브프라임 모기지 사태가 발단으로, 이후 금융 시스템이 붕괴하며 일어났습니다. 전 세계에 영향을 미친 세계 금융 위기로 한국 또한 주가가 폭락하고 경제 위기에 직면했습니다.

그렇다면 부동산 시장은 어땠을까요? 아래를 보시겠습니다.

● **주요 기간별 수도권 매매가격지수**

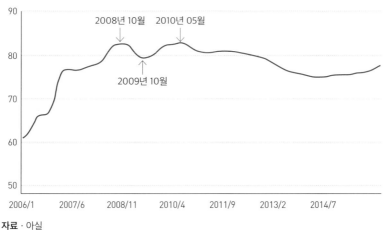

자료 · 아실

2007년 6월부터 2014년 6월까지 수도권 매매가격지수 그래프입니다. 서브프라임 모기지 사태가 영향을 준 2008년 이후 수도권(서울·경기도)의 주택 가격은 급격히 하락했습니다. 정확히 2008년 10월부터 하락이 시작됐습니다.

그리고 2009년 4월을 기점으로 바닥을 찍고 다시 상승하기 시작합니다. 이후 2010년 5월부터 본격적인 하락 흐름에 접어들어 2013년까지 약 3년간 암흑기를 겪습니다.

다음으로 부산의 매매가격지수를 보면, 수도권과는 다르게 2009년

8월부터 급격한 상승 흐름을 타고 있음을 알 수 있습니다. 서브프라임 모기지 사태의 영향이 수도권만 적용되고 부산에는 미치지 못한 걸까요? 그렇지 않습니다.

● 주요 기간별 부산 매매가격지수

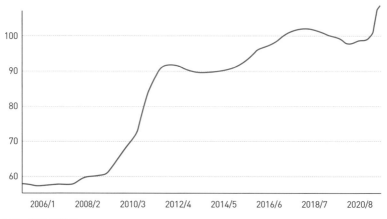

자료 · 한국부동산원

경제 위기 또한 상승·하락 흐름의 원인이 되진 못합니다. 즉, 위기 강도에 따라 조정 기간이 결정되는 것뿐입니다. 그렇다면 2009년도 이후 상승·하락을 결정지은 본질은 무엇일까요?

● 수도권 공급 물량(1998~2016년)

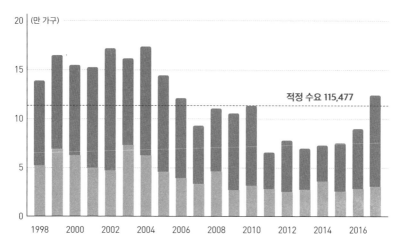

자료 · 아실

● 부산 공급 물량(1998~2016년)

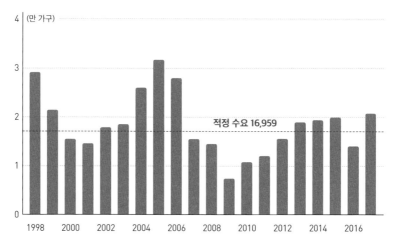

자료 · 아실

● 주요 지역 미분양 주택 현황(단위: 건)

	2008년 평균	2009년 평균	2010년 평균	2011년 평균	2012년 평균
서울	1,347.4	2,104	2,088	1,908.8	2,661.5
부산	12,835.5	12,089	6,439.4	2,951.1	4,778.8
인천	1,180.4	2,291.2	3,725.3	3,847.9	4,002.2
경기	20,434.0	20,450.9	22,062.8	21,429	22,667

자료 · 국토교통부

수도권은 1998~2006년 동안 적정치 이상의 공급이 누적되었고, 2006년 이후까지도 적정 수준의 공급 물량이 지속적으로 유지되면서 부동산 시장에 피로감이 쌓였습니다. 그 결과 미분양이 급격히 증가하며 결국 2만 호를 넘겼습니다. 그리고 2010년까지 적정 수준으로 꾸준히 공급한 결과 미분양이 해소되지 못하며 하락 흐름으로 전환된 것입니다.

반면, 부산은 2007~2010년 동안 공급 부족으로 미분양이 급격하게 줄어들고 있어서 상승 흐름을 앞둔 상태였습니다. 단지 서브프라임 모기지 사태로 부산은 상승 흐름이 연기된 것뿐입니다.

그렇다면 부동산 흐름을 좌우하는 본질은 경제 위기인가요, 누적 공급인가요? 그 답은 이제 모두 아실 거라 믿습니다.

같은 관점으로 이번 코로나19 사태 당시 수많은 하락론자가 부동산 시장이 하락할 거라며 저마다 이유를 꺼내놓았습니다. 그러나 저는 이에 영향을 받지 않고 오히려 매수 타이밍이라며 블로그에서 여러 차례 말했습니다. 이유는 단순합니다. 과거를 통해 주택 시장 흐름의 본질은 공급이며, 앞으로 공급량이 부족해질 것을 알고 있었기 때문입니다. 즉, 코로나로 가격이 하락하면 일시적 조정으로 매수 타이밍이 되는 것입니다. 그때의 공포감에서 벗어나 매수할 수 있는 용기는 충분한 공부를 통한 자기 확신밖에 없다는 점을 명심하시기 바랍니다.

공급 대란을 바라보는 정부의 시선

이렇게 수도권은 2010년부터 하락 흐름에 접어들었습니다. 그리고 2011년부터 지속적으로 적정 이하의 공급이 이루어졌습니다. 사이클 공부를 했다면 이런 적정 이하의 공급으로 인해 앞으로 어떤 일이 벌어질지 이제는 아실 겁니다. 전세가율의 증가와 미분양 감소로 상승 흐름 초반을 맞이하게 된다고 사이클 공부를 통해 배웠습니다. 이처럼 매매가는 떨어지고 전세가가 상승하면서, 약 4년간의 하락 흐름 이후 2014년부터 상승 흐름으로 전환되었습니다.

상승 흐름이 슬슬 시작되면 국토교통부에서는 앞으로 부동산 시장을 어떤 방향으로 끌고 갈지 방향을 잡아야 합니다. 주택 시장 안정화도 국토교통부의 존재 이유이기 때문입니다. 국토교통부 입장에서 중요한 건 앞으로 도래할 상승장에 대한 정부의 공급 계획입니다.

과거를 살펴보면 지금까지의 공급은 '신도시'를 통해서였습니다. 1991~1994년 1기 신도시, 2008년부터는 2기 신도시를 통해 공급했습니다. 그리고 유일하게 이러한 신도시 공급만이 부동산 시장을 하락 흐름으로 전환시킬 수 있었습니다. **이유는 간단합니다.** 앞서 설명했듯, 신도시만 누적 공급이 가능하기 때문입니다. 그 외에는 장기간 적정 이상 공급을 만들기 어렵습니다.

그래서 정부 입장에서는 상승 흐름 초반을 맞이하며 공급 계획을 준비할 때 과거와 같은 신도시 공급 계획을 마련해야 하는 것입니다. 또한, 신도시 계획을 위해 택지를 확보해야 할 것입니다.

문제는 2013년 아직은 하락 추세 속에서 미분양이 줄어들지 않는 상태로 사업성이 떨어져 2기 신도시마저 제대로 공급하지 못하고 있었다는 점입니다. 택지도 놀고 있는 형국이었습니다. 게다가 인구수 감소 추세까지 더해져 정부는 추가적인 신도시 공급이 일본처럼 많은 위성도시의 슬럼화를 초래할 것이라 판단한 듯합니다. 정부는 더이상 신도시를 계획하지 않겠다는 의지가 담긴 결정적인 발표를 하게 됩니다.

그것은 바로, 2014년에 시행한 **'택지개발촉진법 폐지'**입니다. 이를 통해 정부는 더는 택지를 개발하지 않게 되었고, 그나마 남아 있는 택지를 모두 민간 건설사에 팔아버립니다.

● LH 공공택지 매입 상위 건설사 현황(2010년~2020년 8월)

공동택지 매입 상위 건설사				
순위	건설사명	건수	계약면적(만㎡)	매입총액(억 원)
1	부영주택	40	205.0	26,858
2	대우건설	26	105.7	33,409

3	한국자산신탁	24	97.7	24,650
4	중흥에스클래스	14	63.2	6,700
5	포스코건설	13	57.4	7,563
6	아시아신탁	15	57.3	11,317
7	반도건설	13	55.7	10,135
8	코리아신탁	11	55.0	11,596
9	대방건설	10	49.9	7,520
10	하나자산신탁	15	47.4	12,022
	총계	181	794.3	151,770

공공택지 매입 상위 건설사(계열사 포함)				
순위	건설사명	건수	계약면적(만㎡)	매입총액(억 원)
1	중흥	46	308.8	39,374
2	호반	65	274.3	52,823
3	부영	20	241.6	30,335
4	대방	32	138.8	21,984
5	대우건설	19	105.7	33,409
6	한국자산신탁	65	97.7	24,650
7	반도	12	88.8	14,648
8	금성백조	26	76.7	11,956
9	포스코건설	24	57.4	7,563
10	아시아신탁	13	57.3	11,317
	총계	322	1,447.1	248,129

자료 · 소병훈 의원실

따라서 현재 남아 있는 택지만으로 추가 공급을 하고, 그 이상의 필요한 공급 부분에 대해선 '재생사업'을 통해 공급하겠다는 것이 정부의 생각이었다고 유추해볼 수 있습니다. 여기서 재생사업이란 재건축과 재개발을 의미합니다.

여기서 재건축·재개발에 대해서 잠시 설명하고 넘어가겠습니다. 재건축·재개발을 진행하기 위해서는 기본적으로 건물이 노후화되어 있어야 합니다. 그리고 더 중요한 건 사업성이 나와야 가능하다는 사실입니다. 이해를 위해 쉽게 설명하자면, 아파트 재건축을 위해 선정된 건설사가 조합원들에게 새 아파트를 한 채씩 주고 난 뒤 일반분양하여 생기는 수익이 재건축에 들어가는 총비용보다 많아야 사업성이 나온다 할 수 있습니다. **따라서 사업성은 쉽게 말하면 '일반 분양가'에서 결정되므로 일반 분양가가 상승해야 재건축·재개발 사업이 가능합니다. 일반 분양가의 상승은 사업 대상지 주변 신축 아파트의 가격이 결정하게 됩니다.**

택지개발촉진법을 폐지할 당시의 정부 계획은 부동산 가격을 결정짓는 본질인 수도권 공급 물량을 최소화하여 아파트 가격을 어느 정도 올린 다음 재생사업의 사업성을 높이는 것이었습니다. 이를 통해 노후 아파트도 재생하여 서민의 삶의 안정성을 높일 뿐 아니라 추가 공급까지 만드는 것이 목표였다고 볼 수 있습니다.

또 하나 주목해야 할 점은 재생사업은 멸실을 동반한다는 사실입니다. 멸실이란 아파트 재생을 위해 기존 아파트를 허물어버리는 것입니다. 멸실되는 만큼 공급이 줄어든다는 문제가 있습니다.

따라서 대량의 재건축을 진행하기 위해선 그만큼 공급이 많은 시기에 진행해야 합니다. 그래야 멸실로 인한 공급 부족으로 부동산 시장이 폭등하는 것을 완화할 수 있습니다. 가장 적당한 시점은 수도권 공급이 역대 가장 많았던 2017~2020년도였습니다. 이 시기에 재생사업 멸실이 진행되었다면, 이후 2021년부터 서울·수도권 공급이 확대될 수 있었습니다.

하지만 세상일은 아무도 모르듯이, 2017년에 새 정권이 들어서며 가격 상승을 이끄는 재건축 사업을 규제하기 시작합니다. 그 순간만큼은 잠시 가격 상승을 막을 수 있었을지는 몰라도, 결국 2020년 이후에 물량이 급격히 감소하는 문제를 초래하고 맙니다. 재건축 사업이 규제에 막혀 더디게 진행되었으며, 결국 2021~2024년까지 대규모 공급 대안이 없어지게 됐습니다. 또한, 이는 아파트 시장의 장기적인 상승 흐름을 만드는 결정적 원인이 됐습니다.

안정적인 투자를 위한 미래 전망

—— 05 ——

3기 신도시의 등장과 등록임대주택 폐지의 영향

2024년까진 무슨 수를 쓰더라도 공급을 확대할 수 없습니다. 물리적으로 불가능하기 때문입니다.

우선 3기 신도시가 공급 부족을 해결해줄 수 있는 요인이 될 수 있습니다. 하지만 앞서 언급한 택지개발촉진법 폐지로, 현재 3기 신도시 토지는 택지가 아닙니다. 즉, 바로 아파트를 건설할 수 있는 땅이 아닌 것입니다. 현재 토지주들과 협상을 통해 토지를 수용해야 하기 때문에, 실제로 3기 신도시를 통한 공급이 이루어지기까지는 매우 오랜 기간이 소요될 예정입니다. 최소 5년은 있어야 첫 입주가 시작되지 않을까 싶습니다. 그렇다면, 빨라야 2025년도에 첫 입주가 이루어지리라 예상됩니다. 현 정부 발표를 보면 3기 신도시 최초 본 청약 시점을 2023년도 3분기로 잡고 있으며, 이를 통해 최초 입주 시점을 빨라야

● 연도별 등록임대주택 및 사업자 수

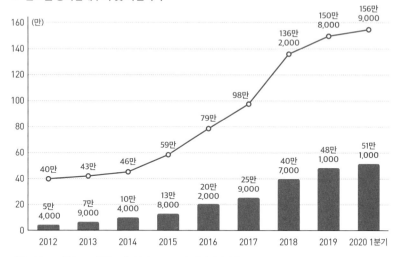

자료 · 국토교통부, ─○─ 등록주택 수(가구), ■ 등록사업자 수(명)

● 아파트 증여 건수(2020년 7월 기준)

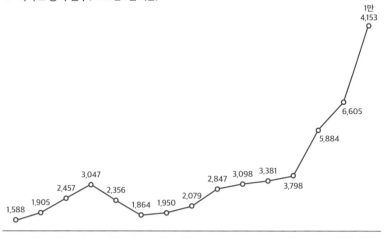

자료 · 국토교통부, ─○─ 아파트 증여(건)

2025년 3분기로 파악할 수 있습니다.

그리고 주택 시장의 매매 가능한 유통 물량에 영향을 주는 중요한 요인이 있습니다. 바로, 등록임대주택 제도 폐지와 증여 주택 증가입니다. 2020년, 정부와 여당에서는 등록임대주택 제도의 사실상 폐지를 발표했습니다. 또한, 아파트 증여 건수는 2018년을 기점으로 큰 폭으로 증가하여 2020년에는 최고점을 찍었습니다.

민간임대주택사업자의 주택과 증여한 아파트들이 시장에 매매 가능한 물건으로 나오는 데 얼마큼의 시간이 필요할까요?

먼저, 민간임대주택사업자의 경우 4년 또는 8년간 의무 보유 및 임대 의무 기간을 두어야 하므로 거래가 불가능합니다. 그런데 정부에서 등록임대주택 제도를 폐지했기 때문에 의무 보유 기간이 끝나면 민간임대주택사업자 연장을 하지 못합니다. 이 때문에 민간임대주택사업자의 물건이 순차적으로 시장에 매물로 나올 것으로 보입니다.

일반적으로 민간임대주택사업자 등록 시 단기(4년)에 비해 장기(8년)가 세금 혜택이 많기 때문에 장기 등록 수가 많은 상황입니다. 통계상 등록임대주택이 급격히 늘어난 2018년 기준 장기(8년) 등록 임대주택 비율이 60.2%로 집계됐습니다. 따라서 평균 6.4년 후 매매 가능한 물량으로 전환된다고 볼 수 있습니다.

따라서 등록임대주택이 거래 가능한 물량으로 급격히 풀리기 시작하는 시점인 2023년경부터는 등록임대주택 거래 가능 물량이 100만 호를 넘길 것입니다. 이는 2024~2026년도 아파트 시장에 영향을 미치게 될 겁니다.

여기서 중요한 건 하락 흐름 전환 여부입니다. 하지만 등록임대주택은 전월세를 주던 주택이 매매도 가능해지는 것뿐입니다. 실제 아파트 순공급이 늘어나는 효과와는 다릅니다. 즉, 매매 가능한 물량이 늘어날 뿐 주택 총 숫자에 영향을 주지 않으므로, 이는 매매가의 조정 국면에 들어가는 것이지 하락 흐름 전환으로 보시면 안 됩니다(증여도 동일하게 생각해야 함).

그런데 왜 우리는 이를 자세히 살펴봐야 할까요? 등록임대사업자 거래 가능 물량이 늘어나는 시점에 순공급량이 늘어나면 촉매 역할을 할 수 있기 때문입니다. 예를 들어 3기 신도시의 공급이 이루어지는 시점에 등록임대주택 거래 가능 물량이 함께 나온다면 3기 신도시 순공급 효과를 극대화하는 역할을 할 수 있다는 것입니다.

다음은 증여 주택에 대해 생각해보겠습니다. 증여받은 주택을 5년 이내에 매도할 경우 '취득가액 이월과세'가 되기 때문에 많은 양도소득세를 내야 합니다. 취득가액 이월과세에 대하여 예를 들어 설명하자면, 부모가 3억에 매수하여 이후 10억으로 값이 오른 집을 자식이 증여받았다고 해봅시다. 이후 자식이 2년 보유하여 15억으로 오른 집을 매도하게 되면 양도차익(수익)이 5억이 아닌 12억이 됩니다. 부모의 취득가액인 3억이 이월되었기 때문입니다. 양도차익을 5억으로 인정받으려면 수증자는 그 주택을 5년 이상 보유해야 합니다. 그리고 부모가 다주택자였다면 이 또한 이월과세가 적용되어 5년 이내 매도 시 양도세 중과 대상이 됩니다. 즉, 증여받은 물건은 5년 내 시장에 매물로 나오기 어렵습니다.

보유세, 양도소득세 중과가 심해지면서 2018년도부터 증여되는 주택의 물량이 급격히 늘어났습니다. 등록임대주택과 같은 원리로, 이렇게 증여받은 아파트의 유통 물량은 2023년부터 증가할 것이며 2025년도에 정점을 찍을 겁니다.

3기 신도시와 등록임대사업자·증여만 살펴볼 때, 본격적인 하락 가능성이 큰 시기는 2025년도 이후임을 판단할 수 있습니다. 이때 순공급량이 함께 늘어나기 때문입니다. 하지만 변수가 하나 있습니다. 바로 재생사업, 즉 재건축·재개발·1기 신도시 리모델링으로 인한 멸실 물량입니다. 이러한 멸실 물량을 합치면 시장의 하락 시점은 더 뒤로 늦춰질 수 있습니다. 이 부분에 대해선 뒤에서 자세히 이야기하도록 하겠습니다.

심화 학습 ①

3기 신도시 사전 청약이 효과가 있을까요? 부동산 시장의 흐름은 실질적인 공급인 입주를 통해서 결정됩니다. 그렇다면 사전 청약은 어떤 영향을 줄 수 있을까요?

사전 청약은 당장의 매수 수요는 조금 줄일 수 있겠지만, 이들이 입주할 때까지 전세 거주를 해야 하는 것이 문제입니다. 사실상 많은 사람을 전세 수요로 고정시켜 결국 전세가 상승에 영향을 주게 됩니다.

즉, 3기 신도시 전체 물량은 30만 호지만 청약을 노리는 사람은 5~10배가 되며 이 이상일 수도 있습니다. 즉, 청약 경쟁률이 5배라면 150만 세대를 전세 수요로 묶어버리는 효과가 있습니다. 지금같이 계약갱신청구권으로 시장에 유통되는 전세 물량이 절반 수준으로 감소한 상태에서 전셋값 상승에 불을 지피는 결과를 낳게 된 것입니다.

또한, **등록임대주택 제도 폐지, 다주택 보유세 인상, 재건축 실거주 2년 의무, 분양권 실거주 의무, 양도세 실거주 시 비과세, 투기과열지구 아파트 매매 시 전세자금대출 회수** 등으로 시중에 전세 유통 물량이 너무 부족하여 전셋값 상승 요인이 넘치는 상황입니다. 결국, 3기 신도시가 입주할 때까지 전셋값은 계속 상승할 가능성이 큽니다.

전세가격은 매매가격의 하락을 막아주는 역할을 하므로, 전셋값이 떨어지지 않는다면 매매가격의 하락은 불가능에 가깝습니다.

심화 학습 ② ···

전세가격은 매매가격의 하방을 다져주기 때문에 현재 부동산 시장에서 굉장히 중요한 지표입니다. 만약 신규 공급 없이도 전세가격이 하락할 수 있는 조건을 미리 파악한다면 미래의 위험성을 아는 데 굉장히 도움이 될 것입니다.

현재 높은 전세가격이 형성된 이유는 공급 부족입니다. 그런데 앞에서 이야기했듯, 지금은 전세 보증금에도 대출이 들어 있습니다. 따라서 과거에는 3억짜리 전세에 거주할 수 있었지만, 현재는 저금리 전세자금대출을 활용하여 고액의 전세 거주도 가능합니다.

정리하자면, 전셋값의 상승 원인은 공급 부족이며 전셋값의 상승을 더 가파르게 만들 수 있는 것이 바로 전세자금대출입니다. 즉, 현재 전셋값에는 거품이 끼어 있다고 볼 수 있으며, 이는 경우에 따라 가격이 무너질 수 있다는 뜻입니다.

그러므로 전세자금대출에 대해 몇 가지 살펴보겠습니다. **첫째, 금리가 인상되면 이자 상승으로 전세자금대출이 축소되므로 전셋값이 떨어질 위험이 높아집니다. 하지만 상승 폭, 공급 부족, 임대차2법 등 시장 상황과 맞물린다면 그 결과는 달라질 수 있습니다(뒤에서 자세히 설명). 둘째, 전세자금대출을 원리금 균등 상환으로 전환한다면 전셋값이 떨어지게 됩니다.**

이렇게 전세자금대출이 전셋값에 영향을 줄 수 있는 2가지 경우를 꼭 기억해 두시기 바랍니다.

심화 학습 ③

앞서 멸실을 고려하면 하락 시점이 뒤로 연기될 수 있다고 말씀드렸습니다. 아래 수도권 입주 물량 그래프를 보면 알 수 있듯, 우리나라의 경우 1988년부터 수도권 아파트 공급량이 급격히 증가하기 시작했습니다. 그리고 1992년부터 또 한 차례 급격한 상승세를 보입니다.

이런 아파트들이 노후화 아파트가 되는 시점은 언제부터일까요? 원칙적으로 재건축은 30년 차부터 가능하다지만, 보수적으로 35~40년 차는 되어야 재생 필요성이 거론되고, 본격적으로 사업 추진이 시작된다는 점을 감안해봅시다. 그렇다면 1988년 아파트가 35년 차가 되는 시점은 2023년입니다. 즉, 2023년부터 대규모 아파트의 재생사업 필요성이 대두될 것이며, 이는 미래의 멸실 대량화를 가져올 것이라 예상할 수 있습니다.

가격 상승으로 불거진 정부의 재건축 규제와 노후·안정성 문제로 인한 재생사업 압력의 힘겨루기는 결과가 정해져 있습니다. 결국, 시간이 흐를수록 재생이 필요하다는 쪽으로 기울 것입니다. 따라서 미래에는 많은 멸실이 생겨나리라 예상할 수 있습니다.

상승의 끝이 2025년일까요? 아닐 수도 있습니다. 책을 끝까지 보시고 스스로 답을 찾으실 수 있으면 좋겠습니다.

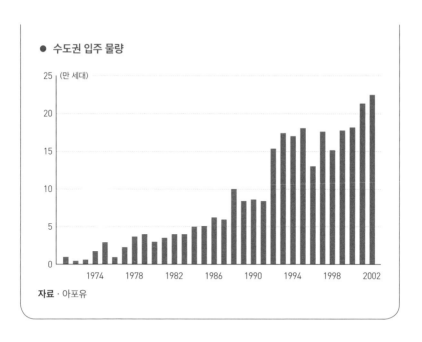

● 수도권 입주 물량

25 (만 세대)

20

15

10

5

0

1974   1978   1982   1986   1990   1994   1998   2002

자료 · 아포유

금리 인상과 부동산 가격의 상관관계

많은 분이 금리 인상에 대해서 걱정하고 있습니다. 금리가 언제 상승할지는 아무도 모르기에, 여기서 그 시기를 논할 필요는 없을 것 같습니다. 단지 금리가 오른다면 어떻게 시장이 흘러갈지를 살펴보면 되겠습니다.

먼저 금리가 인상될 때 부동산 가격 또한 올랐는지, 장기간의 과거 데이터를 추적해봐야 합니다. 아래 그래프를 보면 알 수 있듯, 금리와 매매가격지수의 증감 양상이 일치하는 구간은 그리 많지 않습니다.

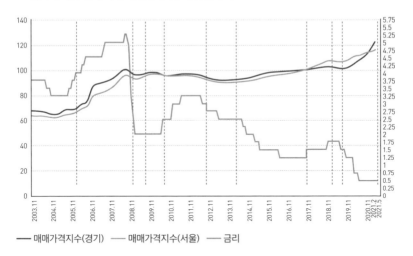

● 금리와 서울·경기 지역 매매가격지수의 변동 추이 (단위: %)

—— 매매가격지수(경기)　—— 매매가격지수(서울)　—— 금리

　　이를 통해 알 수 있는 것은 금리가 부동산 가격을 결정하는 본질은 아니라는 사실입니다. 저금리의 유동성 확대는 아파트 가격 상승을 가파르게 만드는 것일 뿐, 상승 흐름으로의 전환을 끌어내지는 못합니다. 여러 번 강조했지만, 상승·하락 흐름을 결정하는 본질은 공급입니다.

　　금리에 대해서는 뒤에서 자세하게 설명하겠지만, **결국 금리 인상만으로는 부동산 시장의 상승·하락 흐름을 바꾸진 못합니다. 하지만 꼭 기억해야 할 것은 누적 공급 상태에서 금리 인상이 겹친다면 하락 폭이 커질 수 있다는 사실입니다.**

　　또한, 금리 인상은 전셋값에 영향을 줄 수 있습니다. 과도한 금리 인상이 전세자금대출에 대한 부담으로 이어져 전세가격이 떨어질 수 있지만, 이마저도 영향을 주기는 힘들어 보입니다. 현재 보유세 중과, 취득세 중과, 계약갱신청구권, 분양가 상한제 의무 거주, 입주권 의무 거주, 등록임대사업자 폐지 등의 전세 유통 물량을 줄이는 여러 정책이 진행되고 있기 때문입니다.

결국, 단기간에 급격한 금리 인상이 일어나지 않는 이상 현 아파트 시장에서 금리 인상만으로 하락 흐름으로 전환되기란 어려워 보입니다. 여기서 단기간 급격한 상승은 1년에 기준금리 1.5% 이상 증가하는 정도로 보고 있습니다.

지금까지 잘 따라오셨나요? 조금 어려우셨을 수도 있습니다. **여기까지 잘 따라오셨다면 주택 시장의 본질인 미래 공급 물량에 대해 어느 정도 감이 생겼으리라 생각합니다.** 그리고 이를 통해 부동산 시장에 대한 자기 나름의 전망도 할 수 있을 겁니다.

여기서 공공 재개발·재건축, 역세권 재개발 등은 공급 시나리오에 현재로서는 넣을 수 없습니다. 구체화된 진행 상황이 없기 때문입니다. 주기적으로 확인하며 공급 계획이 가시화되면 공급 시나리오에 추가하면 되겠습니다. 하지만 2025년 안에 공급 계획이 가시화되기는 어려운 상황입니다.

이렇게 자기만의 확신을 가지고 밑그림을 그려놓은 상태에서 부동산 투자를 결정해야 합니다. 그래야 안정적으로 오랜 기간 부동산 시장에서 투자자로 성공하고 살아남을 수 있습니다. 또한, 중간중간 발생하는 이슈들에 대해서는 그것이 본질을 건드리는지 확인하며 전망을 수정해나가면 됩니다.

　다음 목차에서는 부동산 시장 흐름에서 튀어나오는 이슈들에 대해서 어떻게 접근해야 하는지 자세히 설명하도록 하겠습니다. 여기서 밑그림에 대해 배경설명을 충실히 마친 만큼, 다음 내용에서는 좀 더 깊숙이 들여다보며 하나하나 뜯어보도록 하겠습니다.

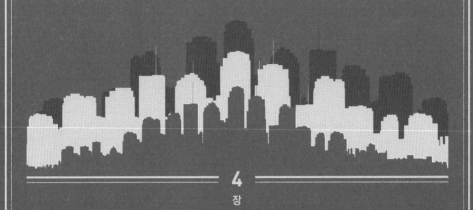

부동산 시장에 대한
인사이트 키우는 법

전세가격에 대한 이해

—— 01 ——

전세가격은 부동산 시장의 굉장히 중요한 지표입니다. 전세가율을 통해 상승·하락 흐름 전환을 예측할 수 있고, 전세가격이 아파트 매매가격 하방을 잡아주기도 합니다. 따라서 전셋값이 오르거나 떨어지는 이유를 자세히 알아볼 필요가 있습니다.

전세자금대출의 역사

부동산 공부를 할 때는 과거 역사를 면밀히 공부해야 합니다. 몇 가지 요인은 반복되는 경향이 있을 뿐더러, 과거를 통해 원인과 결과를 파악해야 현재 어떤 원인이 어떤 결과를 만들어낼지 알 수 있기 때문입니다.

질문드리겠습니다. 전세가격은 언제부터 급등하기 시작했을까요?

정답은 2010년부터입니다. 당시 매매가 하락으로 많은 사람이 전세수요로 이동하였고, 전세가가 치솟자 높아진 전세가격을 감당할 수 없게 됐습니다. 2010년 당시에도 2020년같이 전세에서 반전세로의 변동, 그리고 전셋값 급등이 사회적 이슈였습니다.

이에 **이명박 정부는 전셋값이 치솟아 서민이 감당할 수 없는 지경에 이르자, 전세자금대출 확대 정책을 펼치기 시작합니다.** 2010~2011년도에 전세자금대출이 급격히 증가하였고, 이후에도 전세자금대출 확대 정책이 계속되며 전세가격 증가에 커다란 영향을 주었습니다. 현재는 2008년 대비 전세자금대출 잔액 차이가 10배를 넘는 상황입니다.

또한, 2016년에서 2018년 사이 전세자금대출 잔액이 급격한 증가

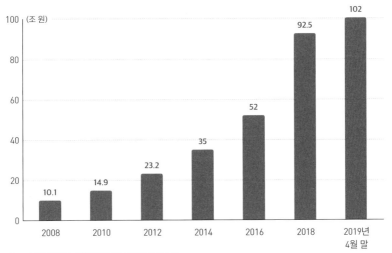

● **금융권 전세자금대출 잔액 추이(연말 기준)**

자료 · 금융위원회, 한국은행, 한국주택금융공사

세를 보입니다. 정권이 교체되면서 전세자금대출이 더욱 확대됐기 때문이죠. 물론 본질적으로 공급 부족에 의해 전세가격이 상승하는 흐름이었고, 이렇게 전세가격이 상승하며 서민의 주거 불안정이 우려되자 전세자금대출 확대 정책을 시작한 것입니다.

현재 최대 5억, 1% 후반에서 2% 초반의 이율로 전세자금대출을 받을 수 있습니다. 이러한 전세자금대출은 아파트 시장에 유입되는 유동성 확대의 주된 통로가 되었고, 아시다시피 이는 전세가격이 급격히 상승하는 데 촉매 역할을 했습니다.

전세자금대출이 2008~2019년까지 10배 증가하는 동안 주택담보대출은 약 3배밖에 증가하지 않았습니다. 그 이유는 늘어난 유동성이 LTV·DSR 규제가 걸려 있는 주택담보대출보다는 규제가 없는 전세자

● 서울 전세가율

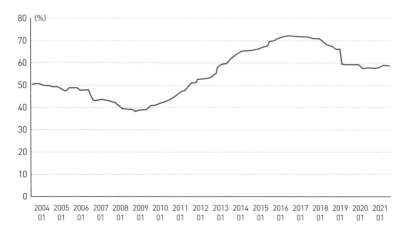

자료 · KB국민은행

금대출로 흘러 들어왔기 때문입니다. 즉, 전세자금대출에 제한이 생기지 않는 이상 아파트 시장으로 유동성이 계속 흘러 들어올 것입니다. 그 결과 더 이상 전세가격이 실거주 가치를 보여준다고 말하기 어렵습니다. 전세가에 대출이 늘어나면서 거품이 끼고 있기 때문이죠.

이렇게 전세자금대출 확대 정책은 2014년 말 기준 평균 2억 9천만 원이던 서울 전셋값을 2021년 5월 기준 평균 6억 1천만 원까지 상승시켰습니다(KB국민은행 주택가격동향조사에 따름). 이러한 전세가 증가는 전세가율의 급격한 상승으로 이어졌으며, 서울 아파트의 평균 전세가율은 2017년 2월 최대 71.6%를 넘어섰습니다.

이러한 전세가격 상승은 매매가격이 급격히 오른 상승기 후반까지 이어지면서, 과거와는 다른 특이한 구간을 만들어냈습니다. 그리고 높은 전세가율을 만들어 매매가격 하방을 지지하고 있습니다. 수도권 상승기 후반이던 2009년 2월 38.2%이던 서울 전세가율은 2021년 5월 58.3%를 기록하고 있습니다. 같은 상승기 후반임에도 전세가율 차이가 크게 벌어진 데는 전세자금대출 확대 정책이 큰 역할을 하고 있습니다. 물론 본질은 공급 부족입니다. 그러나 전세가율만 보더라도 아직 아파트 시장이 하락하기에는 무리라는 걸 알 수 있습니다. 전세가율이 50% 이하로 떨어져야 하락 흐름 전환을 고민해볼 만합니다.

현재 전세가율은 2013년 수준으로, 상승기 초반의 모양새를 다시 보이고 있습니다. 즉, 전세 수요에서 매매 수요로의 변화는 무주택 수요가 주축을 이루는 실거주장의 초반 흐름을 다시 끌어냈습니다. 이렇게 전세가격의 상승은 상승 흐름 초반을 만들어내는 모멘텀 역할을 하므로, 굉장히 중요한 지표입니다.

계약갱신청구권과 민간택지 분양가 상한제

임대차2법 중 계약갱신청구권이 2020년 8월부터 시행되면서 2년에서 4년으로 전세 계약 보장 기간이 확대됐습니다. 이를 산술적으로 판단하면 계약 연장으로 50%가량의 전세 매물이 없어진다고 볼 수 있습니다. 단순하게 생각하면, 계약갱신으로 전세 수요도 절반으로 감소하므로 문제가 없을 것 같아 보입니다. 하지만 신규 수요는 줄어들지 않고 그대로인 상태입니다. 대표적인 신규 수요는 기존 세대에서 분가해 새로운 세대를 형성하는 신혼부부입니다. 신규 수요도 절반으로 줄어든다면 계약갱신청구권은 별문제가 없겠지만 현실은 그렇지 못합니다. 결국, 수급 불균형을 야기하게 됩니다.

한편, 민간택지 분양가 상한제는 저렴한 분양가를 기대하는 많은 사람을 청약 대기자로 만들게 됩니다. 청약 대기자들은 무주택 상태를 유지해야 하기 때문에 전세로 거주해야 합니다. 현 정부의 부동산 정책은 전세 매물을 줄이고 있는데, 게다가 민간택지 분양가 상한제는 전세 수요를 고정시키는 효과를 불러오니 계약갱신청구권과 마찬가지로 수급 불균형을 형성하고 맙니다.

여기서 민간택지 분양가 상한제의 문제를 간단히 설명하자면, 분양가 상한제로 청약 경쟁률이 높아진다는 점입니다. 공급이 많다면 청약 경쟁률도 지금과 같이 높지 않고, 많은 국민에게 저렴하게 아파트를 공급한다는 본 취지에 맞게 정책의 효과가 나타날 것입니다. 그러나 공급이 부족한 상태에서 민간택지 분양가 상한제는 시장에 독이 될 수 있습니다.

오히려 로또 분양으로 청약 경쟁률이 미친 듯이 치솟으며 전세 대기자를 양성할 가능성이 큽니다. 기다리지 못한 수요자들은 주변 매수세로 전환하며, 이를 통해 주변 시세가 상승합니다.

심화 학습 ④

2009년 민간택지 분양가 상한제가 처음 발효됐을 때 2기 신도시에 대규모 물량이 있었고, 사람들은 더 좋은 입지에 낮은 분양가로 아파트를 분양받고자 하였습니다. 이는 미분양을 증폭시키며 주택 시장을 하락 흐름으로 이끄는 데 한몫했습니다. 그러나 2020년 7월 29일 재시행된 민간택지 분양가 상한제는 오히려 로또 분양으로 대표되는 청약 열기 과열과 매수 심리만 폭증시키는 문제를 만들었습니다.

이러한 청약 과열로 당첨 가능성이 희박해지자 청약 대기자들이 구축 매매로 돌아서게 됐습니다. 그들은 어디를 매매할까요? 10억이 넘는 아파트를 매매할 수 있을까요? 비율상으로 경기권 중저가가 될 가능성이 큽니다. 이렇게 투자 시나리오를 스스로 만들어보는 게 중요합니다.

같은 정책이지만 시기마다 효과가 다르다는 점을 깨닫고, 시기에 맞게 정책을 해석하여 투자에 활용하는 것이 필요합니다.

전세가 상승이 시장에 주는 영향

전세가 상승이 부동산 시장에 어떤 영향을 주는지 살펴보겠습니다.

먼저 부동산 시장의 시점에 따라 끼치는 영향이 다릅니다. 앞서 말했듯이, 상승기 초반에 전세가격이 증가하면 전세 수요자들은 매매 수요자로 이동합니다. 즉, 전셋값과 매맷값의 차이가 줄어들면 거주 비용에도 차이가 줄어드니 전세로 살 바엔 매매를 선택하게 되는 것이죠. 따라서 실거주자들에 의해 상승하는 실거주장이 만들어지며, 이는 보통 상승기 초반부에 나타납니다.

그런데 상승기 후반에 전셋값이 상승하는 경우가 있습니다. 지금이 그런 경우입니다. 굉장히 특이한 경우라고 할 수 있습니다. 과거를 되돌아보면 상승기 후반이 될수록 입주 물량이 늘어나 결국 전세가격이 떨어지는 것이 일반적이기 때문입니다. 하지만 지금같은 상승기 후반임에도 오히려 공급 부족으로 전세가격이 다시 오르는 기현상이 나타나고 있습니다.

이런 경우 상승기 초반의 양상인 전세 수요에서 매매 수요로 수요가 이동하는 현상이 다시 나타나고, 추가로 투자 세력이 다시 증가합니다. 전셋값 상승으로 갭투자가 가능해지기 때문이죠. 실거주자만 있는 상승 흐름 초반과의 차이점을 찾아보면, 이때는 실거주자와 투자자가 모두 존재하므로 상승기 초반에 비해 가격 상승률이 높다는 점이 다릅니다. 즉, 상승세가 완만하지 않고 바로 급격하게 넘어가는 겁니다. 그래서 정부는 투자자를 막기 위해서 취득세 중과와 같은 정책을 사용하게 됩니다. 그래야 상승 흐름을 꺾지는 못해도 상승 폭을 더디게 할 수 있기 때문입니다.

전세가격 안정화를 위한 시그널

전세가격 상승이 시장에 미치는 영향은 대단합니다. 만약 전세가격이 더는 오르지 않는다면 시장은 안정세에 접어들 수 있습니다. 물론 전세가격이 오르지 않는다고 해서 바로 매매가격이 안정되는 건 아닙니다. 전세가율이 낮아지다가 임계점에 도달하면 그제야 매매가는 안정세를 보일 것입니다. 임계점은 전세가율이 48~50% 정도일 때로 보고 있습니다. 매매가격이 상승할 때도 전세가율이 떨어지기는 하지만, 전세가격이 하락할 때도 전세가율은 낮아집니다. 그래서 전세가격을 잘 살피는 것이 중요합니다. 따라서 이번엔 전세가격이 안정화되는 시그널에 대해서 공부해보겠습니다.

첫째, 전셋값 변화의 본질인 공급이 갑자기 늘어날 수 있을지 생각해봐야 합니다. 앞서 설명했듯, 최소 2023년까지 공급이 급격하게 늘어날 일은 없을 겁니다. 그러므로 전세가격이 꾸준히 상승하리라 전망하는 것이 올바른 판단입니다.

둘째, 정부의 저금리 전세자금대출 축소 가능성입니다. 먼저 전세자금대출을 축소하면 현재 많은 임차인이 줄어든 만큼의 목돈이 필요해집니다. 대부분이 수천만 원을 갑자기 마련할 수 없는 게 현실이며,

갑작스러운 축소는 서민에게 큰 피해를 줄 것입니다. 사회적, 경제적으로도 상당한 피해로 이어집니다. 우선 소비부터 줄이게 되겠죠.

그러므로 전세자금대출을 축소하는 건 아파트 수요 대비 공급이 많은 상황이 아니라면 불가능에 가깝습니다. 물론 소급 적용하지 않는 선에서 전세자금대출을 축소할 수 있습니다. 그러나 기존 전세자금대출을 받은 사람들의 대출 연장이 어려워지는 경우가 발생한다면 전세가격 형성에 큰 문제를 만들 수 있습니다.

정리하자면, 정부가 전세자금대출을 축소하는 건 상당히 실현되기 어려운 일입니다. 그럼에도 축소되는 이벤트가 발생한다면 전세가격 하락에 대비해야 합니다. 물론 공급이 많은 시기에 이런 현상이 발생한다면 전세가 하락 폭은 더욱 커지겠죠. 이때 다주택자는 무조건 주택 수를 줄여야 합니다.

심화 학습 ①

저금리가 전세자금대출 총량 증가에 큰 영향을 주고 있습니다. 그렇다면 금리 인상 가능성이 있을까요? 이 부분에 대해선 어느 전문가도 정확히 예측할 수 없습니다. 신의 영역이죠. 단지 미국연방준비은행이 인플레이션 2% 이상을 허용하며, 평균 인플레이션과 실업률로 금리 인상 여부를 결정한다는 기조는 모두 알고 있습니다. 추가로 한국의 금리는 미국 금리를 따를 수밖에 없죠. **국내의 경우 경기 침체 상황에선 유동성 확대를 통한 경제 부양 정책을 시행하므로 금리를 인상하기 어렵습니다. 금리 인상은 곧 소비 축소로 이어지기 때문이죠. 하지만 경제 위기가 온다면 금리를 올릴 수 있습니다.**

또한, 경제가 회복 국면에 접어들어 그전까지 유동성 확대로 시중에 넘쳐흐르던 돈을 회수해야 할 때가 온다면 금리가 인상될 것입니다. 경기 회복세의 금리 인상은 사람들의 소비와 기업의 이익 증가, 그리고 직장인의 월급도 안정적으로 상승하는 상태로 이어지므로, 금리 인상이 부동산 가격에 큰 영향을 주지 않을 겁니다.

하지만 금리 인상은 예측할 수도 없고 예측할 필요도 없습니다. 단지 금리가 상승할 때 부동산 시장에 어떤 영향을 주는지를 생각하면 됩니다. 중요한 건 금리가 얼마나 단기간에 상승하는가입니다. 즉, 기준금리가 1년에 1.5% 이상 오른다면 금리의 급격한 상승으로 보고 전세가 하락으로 인한 시장 붕괴를 대비해야 합니다. 그리고 현재 금리의 수준이 상당히 중요합니다. 기준금리로만 이야기하자면, 기준금리 0.5%일 때 1% 상승하는 것과 기준금리 5%일 때 1% 상승하는 건 상당한 차이가 있습니다.

가산금리는 개인마다 상이하기 때문에 정확하진 않지만 기준금리로만 보겠습니다(가산금리 0이라 가정). 전자의 경우 대출 금리가 3배 상승하게 되는 것이고, 후자의 경우 대출 금리는 0.2배 상승하는 것입니다. 즉, 저금리에서는 금리가 1%만 상승하더라도 시장에 미치는 충격이 상당할 것입니다. 그러므로 저금리 상태에서 금리 인상은 다른 때보다도 더 큰 영향을 끼칠 수 있습니다. 현재로서는 1년 사이 1.5% 이상 증가한다면 위험 수준입니다. **이렇게 금리의 급격한 상승 시점에 정부에서 추진하고 있는 공급 확대 시점이 맞물린다면, 이때 가장 큰 폭락을 맞을 수 있다는 점을 특히 주의해야 합니다. 이때는 100% 하락 흐름으로 전환될 것이므로 꼭 기억하시기 바랍니다.**

셋째, 정부 정책 변화입니다. 먼저 말하고 싶은 건 부동산 정책 중에는 변하기 쉬운 정책이 있는 반면, 한번 생기면 변하기 어려운 정책도 있다는 사실입니다. 예를 들어, 규제지역 확대·축소나 LTV(담보인정

비율) 확대·축소와 같은 정책은 상황에 따라 변할 수 있는 것들입니다. 주목해야 할 것은 한번 정하면 원복하기 어려운 정책들입니다. 예를 들면 임대차3법은 원복하기 대단히 어려워, 시장의 흐름이 변하더라도 계속 시장에 영향을 줄 가능성이 큽니다.

물론 절대적인 건 없으므로 상황이 변하여 장기 하락 흐름에 접어든다면 이런 규제들도 갑자기 완화될 수 있습니다. **하지만 현재 부동산 시장은 앞으로 대규모 공급이 없다면 규제가 완화될 가능성이 매우 작습니다. 따라서 현재로선 이렇게 원복하기 어려운 정책들의 변화를 기대하기 힘든 상황입니다.** 정책적 요인에 의해서 현장의 전세 물량이 늘어나기는 어렵습니다.

심화 학습 ② ··

전세가 상승은 탈(脫)서울화를 가속합니다. 2010년부터 시작된 전세가격 급등은 전세 난민을 야기했고, 서울 전세살이를 버티지 못해 경기도로 거주지를 옮겨서 집을 매수하는 경우가 많습니다. 2010년 이후 경기도 주택을 서울 사람이 매매한 비중은 계속 증가했습니다. 2015년에는 13.5%였고, 2016년에는 15.4%였으며, 이후에도 계속 증가세를 보입니다.

이를 반증하는 데이터가 서울 인구수 감소입니다. **서울 인구수는 2009년 이후 지속적으로 줄어들었으며, 2020년엔 32년 만에 등록인구가 1,000만 명 이하로 떨어졌습니다. 그만큼 부동산 가격 상승을 견디지 못한 전세 수요자들의 탈서울이 계속되고 있는 것입니다.**

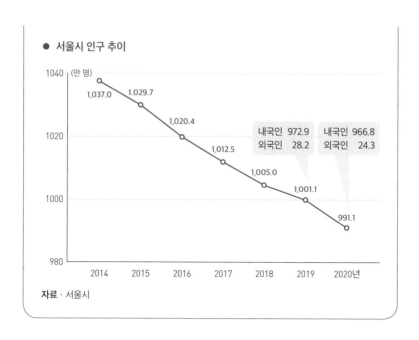

● 서울시 인구 추이

내국인 972.9	내국인 966.8
외국인 28.2	외국인 24.3

1,037.0
1,029.7
1,020.4
1,012.5
1,005.0
1,001.1
991.1

2014 2015 2016 2017 2018 2019 2020년

자료 · 서울시

전세가 상승은 탈서울화에 영향을 주고, 이를 통해 경기도 지역의 매수자가 증가하는 경향이 있습니다. 2020년 4월, 저는 블로그를 통해 전세가격 상승세를 볼 때 머지않아 입지가 괜찮은 경기도 아파트의 가격 상승이 예상된다고 말한 바 있는데, 실제로 현재 수도권 외곽지 가격은 급등세를 보이고 있습니다.

전세자금대출이 부동산 시장에 미치는 영향

전세자금대출 확대는 부동산 시장에 대표적으로 3가지 영향을 줍니다.

① 서민 주거 환경 개선

② 매매가격 상승

③ 재건축·재개발 사업성 유지

첫째, 서민 주거 환경 개선입니다. 서민이 저금리 전세자금대출을 이용하여, 보다 좋은 환경에서 거주할 수 있게 해줍니다. 이제 신혼부부의 약 70%가 출발을 아파트에서 하고 있습니다. 따라서 전세자금대출 확대 정책은 주거 환경 개선 측면에서 정부의 대표적인 복지정책이라 말할 수 있습니다.

문제는 이러한 복지 정책이 확대되면서 이제는 많은 임차인이 낡은 빌라, 반지하 등에 거주하려 하지 않는다는 것입니다. 이 경우에는 입지가 좋지 않은 낡은 빌라와 노후화된 아파트가 밀집된 지역의 슬럼화를 촉진시킵니다. 슬럼화된 빌라와 아파트들은 주거 공간으로서의 역할을 못하고 있지만, 주택 보급률이라는 통계적 수치에는 포함됩니다. 결국, 주택보급률은 100%가 넘지만 실제로 살 집은 부족한 상황이 빚어지는 것이죠.

또한 슬럼화는 사회 문제가 되기 때문에 주거 환경 개선작업이 필요하나, 입지가 떨어지는 지역은 사업성이 저조하여 재생사업이 불가합니다. 비용 측면에서 주택공사가 나서기 어려울 뿐더러 영리 집단인 민간 건설사는 더더욱 거들떠보지 않습니다. **가장 좋은 방법은 슬럼화가 더욱 심해지면 그 일대 토지를 아주 저렴하게 주택공사가 매입하여 건**

축비만 들여 공공임대주택을 공급하는 것입니다.

그리고 앞에서 말했듯이, 전세자금대출은 서민의 주거 환경 개선을 위한 복지 정책입니다. 복지라는 것이 한번 만들어놓으면 줄이기가 쉬울까요? 생각해보십시오. 전세자금대출을 줄인다면 당장 무슨 일이 벌어질까요? 아파트 가격이 하락할 수 있지만, 구축 아파트 거주자들은 빌라로, 빌라 거주자들은 반지하로 내몰립니다. 즉, 전세자금대출은 한번 만들어지면 축소하기 어려운 정책입니다. 이것이 전세가격이 떨어지기 힘든 요인입니다.

둘째, 매매가격 상승입니다. 전세가격의 상승은 전세 수요자를 매매 수요자로 이동하게끔 한다고 앞서 설명한 바 있습니다. 그리고 전세자금대출로 인해 전세가격 또한 매매가 못지않게 상승하며 매매가의 하방 지지선을 높여줍니다.

셋째, 재건축·재개발 사업성 유지입니다. 전세가격이 상승하면 하방 경직성이 강화되기 때문입니다. 재건축·재개발 사업은 아파트 가격이 상승하여 사업성을 만족한 채로 시작되더라도 부동산 경기가 꺾여 매매가가 하락하면 사업성이 떨어져 바로 중단됩니다. 그러나 **전세자금대출이 매매가의 하방 경직성을 높은 수준으로 유지해주고, 전세가도 꾸준히 상승하여 매매가를 조금씩 자극하여 올려주면, 재건축·재개발 사업성을 유지하는 데 긍정적 영향을 끼칩니다.**

이렇게 전세자금대출 확대는 표면적으로 보이는 것뿐만 아니라, 부동산 시장에 많은 영향을 주고 있습니다.

공급에 대한 올바른 관점

—— 02 ——

노후 주택 증가에 대하여

노후 주택 증가는 부동산 시장에 큰 영향을 줄 수 있어 깊게 생각해봐야 할 부분입니다. 먼저 노후 주택 증가는 국민의 삶의 안정성을 떨어트린다는 의미에서 정부(국토교통부)는 계속 방관할 수 없습니다. 결국, 정부 입장에서 시간이 흐를수록 노후화된 주택 재생에 대한 압박감은 심해질 것입니다.

정부가 노후 주택 재생에 대한 압박감을 더욱 크게 느끼는 원인은 노후 주택의 증가 속도입니다. 노후 주택의 기준은 사람마다 다르겠지만 보수적으로 40년 차 아파트로 생각해보겠습니다. 현재 서울 주택 295만 호 중 40년 차가 넘은 아파트가 약 5만 호로 2.9% 정도에 달합니다(30년 차 이상 아파트로 기준을 잡으면 약 24만 호로 약 14.1%를 차지하고 있습니다). 문제는 앞으로 40년 차 아파트가 늘어나는 속도가 굉장히 가파르게 빨라진다는 점입니다.

● 수도권 입주 물량

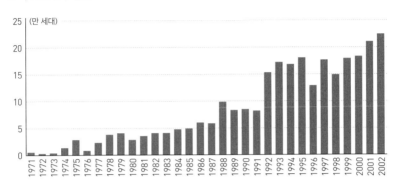

자료 · 아포유

1977년 이전에는 수도권 아파트 공급이 많지 않았습니다. 하지만 1978년을 기점으로 서울·경기도 아파트의 공급량이 꾸준히 늘어났습니다. 1988년 서울 올림픽의 여파로 공급은 크게 한 번 증가합니다. 그리고 1992년 1기 신도시와 함께 수도권 아파트 공급은 급격히 늘어납니다. 신도시 공급의 위력을 알 수 있는 대목입니다.

그렇다면 앞으로 노후 주택 증가세는 어떨지에 대해서 살펴보겠습니다. 통계상 40년 차 노후 아파트는 2018~2027년까지 매년 수도권 기준 평균 4만 호씩 증가하고, 2028~2031년까지는 매년 7만 호씩 증가할 예정입니다. 또한, 2032년 이후에는 평균 13만 호씩 증가하게 됩니다. 즉, 노후 아파트의 발생 속도가 굉장히 빨라질 것입니다.

문제는 노후 아파트가 급격히 늘어나고 있지만, 재생사업이 그에 맞춰 속

도를 내지 못한다는 것입니다. 재건축·재개발 사업도 속도를 내서 진행한다면 노후 주택 비율을 안정적으로 유지할 수 있겠지만, 현재 정부에서는 재생사업을 규제로 막은 상태입니다. 안타까운 상황이지만 앞서 말한 대로, 노후 아파트의 누적이 이미 가속화 단계에 접어든 만큼 노후 아파트 재생 압력은 점점 더 커질 것입니다.

수도권 인구의 50% 이상이 40년 차 이상 아파트에 거주하는 상황이 온다면 어떨까요? 서울의 재건축 규제의 불만이 서울 주민뿐만 아니라 수도권 전체로 확산될 것입니다. **한국 인구의 40%가 불만을 갖게 되는 것이죠. 결국엔 재생사업을 할 수밖에 없고 미래에 대량 멸실 발생이 분명히 일어날 수밖에 없습니다.**

앞으로 10년간 신축 아파트 가치는 더 상승할 것으로 보입니다. 물론 신축이 될 아파트 또는 분양권이나 입주권도 좋겠죠. 재생에 대한 압력이 커지고 안전상의 이유로 진행할 수밖에 없다면 재생사업 특징인 대량 멸실은 보수적으로 본다 해도 적어도 2028년도부터 시작될 것입니다.

앞서 말했듯이, 대량 멸실로 아파트 시장에 순공급이 크게 줄어들게 됩니다. 3기 신도시 등 앞으로의 공급 대책이 있더라도 대량 멸실 시점과 맞물린다면 공급 효과가 상당히 줄어들 것으로 보입니다. 투자자로서 이 점을 명확히 인식하는 것이 중요합니다.

아파트 증여 주택의 문제

2020년 8월 서울 아파트 전체 거래 건수 1만 2,277건 대비 증여 건수가 2,768건으로, 사상 최대치인 22.5%를 기록했습니다. 과거 2006~2008년에도 주택 가격이 오르고 규제가 심해지면 증여 건수가 늘어난 바 있습니다.

증여 건수 증가는 주택 시장이 심각한 상태에 처했음을 의미합니다. 왜 그런 걸까요? 먼저 증여 건수가 증가하는 이유는 다주택자에게 부과하는 종합부동산세율을 높이고 공시가격도 올리는 동시에 양도세까지 중과시킨 결과입니다. 즉, 보유한 주택을 그냥 매도하기엔 세금이 너무 많아 팔지 못하니 차선책으로 증여를 선택하는 것입니다.

규제 강도가 높아질수록 세금을 줄이기 위해 증여 건수가 늘어나

● 서울·경기 매매가격지수

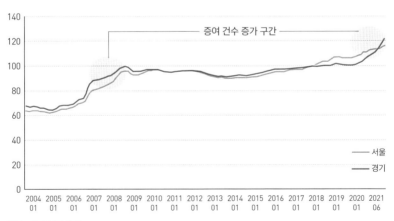

자료 · 한국부동산원

는 건 당연한 결과입니다. 과거 세금 규제가 심해진 2006~2008년에도 다주택자들은 증여를 선택하였습니다.

정부는 다주택자 종합부동산세 중과로 시장에 유통 매물이 풀리길 바라겠지만, 오히려 자식들에게 증여되면서 시장에 거래 가능한 매물이 사라지게 됐습니다. 거래 가능 매물이 줄어드는 이유는 앞서 설명했듯이 이월과세 때문이므로 다시 설명하지 않겠습니다.

2021년 서울 입주 물량이 2020년 대비 절반가량 줄어드는 시점에서 증여로 인해 거래 가능한 유통 매물이 줄어드는 상황은 가격이 더 상승할 수 있는 환경을 조성하게 됩니다. 이렇게 공급은 부족하고 거래 가능 물건이 급격히 줄어들면서, 거래량 축소와 신고가 릴레이 현상은 공급이 충분해질 때까지 지속될 수밖에 없습니다.

● **서울 지역 아파트 입주 물량**

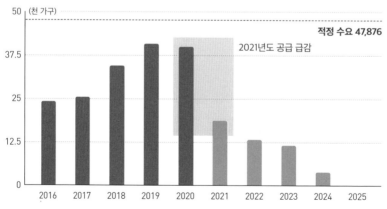

자료 · 아실

서울은 더 이상 아파트를 공급할 만한 토지가 없습니다. 공급의 99%가 재생사업을 통해서만 가능하다는 말이 틀리지 않습니다. 여기에 멸실 물량까지 생각한다면 현재 부동산 상승 흐름이 꺾이는 건 불가능에 가깝습니다.

심화 학습 ④ ··

매수 수요를 생각해본다면 무주택, 1주택 갈아타기 수요는 꾸준할 것이기 때문에 9억 이하 주택은 9억으로, 9~15억 사이는 15억으로 값을 맞추는 '키맞춤' 현상은 공급이 충분해질 때까지 계속되겠습니다. 이러한 9억·15억 키맞춤은 기존 15억 아파트를 20억으로 밀어 올리는 역할을 하게 됩니다.

신축 공급에 대한 균형이 무너져 신축의 강세는 여전할 것이며, 이런 강세는 현재 무주택자들의 접근을 어렵게 만들 것입니다. 앞으로도 공급이 부족하므로 상승 흐름이 지속될 것이고, 상승세는 수도권 외곽지 구축까지 전달될 것입니다.

참고로 수도권 외곽지 투자 핵심은 앞으로 상승 흐름이 얼마나 지속될지를 판단하는 것입니다. 그리고 상승 흐름이 지속될지 여부는 앞서 배운 대로 간단하게 과공급이 누적되어 미분양이 임계치 이상으로 올라갔을 때로 판단하시면 됩니다. 어떤 호재가 있는지는 그다음 문제입니다. 따라서 현시점 수익률 측면에선 입지가 괜찮고 가격이 덜 오른 외곽 지역에 선제 투자하는 것이 좋은 투자 방법입니다. 여기서 말하는 외곽지는 수도권에서 인프라가 잘 갖춰진 신도시급을 말합니다. 즉, 일산, 청라, 송도, 산본, 수원, 다산, 별내 등입니다.

수도권 주택 공급의 부족 사태

수도권의 공급 예정 물량은 2021년 이후 적정 수준 이하로 급격히 줄어들기 시작합니다. 즉, 공급의 절대값 자체가 부족한 것이 현실입니다. 그리고 서울 주택 시장은 과거에 비해 재생사업에 의한 멸실을 동반하기 때문에 표면적인 공급량 데이터로 공급의 적정 수준을 정확하게 논할 수 없습니다. 멸실 물량을 고려한 '순수공급'을 보면 실제 주택 시장에 유통되는 공급물량은 더욱 부족해집니다.

각종 웹사이트나 앱을 통해 공급 물량을 확인하더라도 여기에는 서울 멸실 물량이 반영되어 있지 않습니다. 따라서 수도권에서 적정 수요로 공급하더라도 아파트 시장에서 공급 물량이 부족한 상태는 변하지 않는 것입니다. 그러므로 하락 흐름이 오려면 대략 현시점 수도

● 수도권 입주 물량

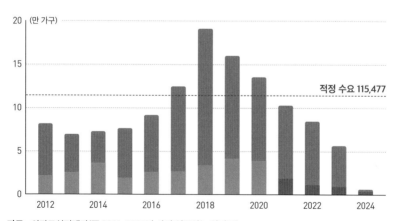

자료 · 아파트실거래가(■ 2021~2025년 사이 입주하는 아파트)

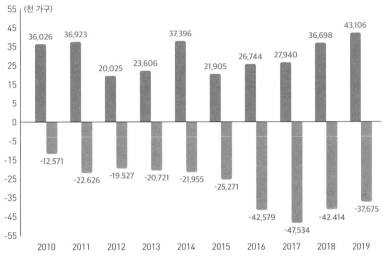

● 서울 주택 입주 및 멸실 물량 추이

(천 가구)

연도	입주	멸실
2010	36,026	-12,571
2011	36,923	-22.626
2012	20,025	-19.527
2013	23,606	-20,721
2014	37,396	-21,955
2015	21,905	-25,271
2016	26,744	-42,579
2017	27,940	-47,534
2018	36,698	-42.414
2019	43,106	-37,675

• 입주 물량은 아파트 기준임
• 2018년과 2019년은 정비사업(2018년 4분기 조사 기준) 추정 물량임

자료 · 국토교통부, 부동산114

권 기준 매년 15만 호 이상 과공급이 4년 넘게 지속되어야 합니다. 그래야만 누적 효과가 나타나 미분양이 발생하고 한계치를 넘어가면서 하락 흐름이 생길 수 있습니다.

그러나 2020년이 지나면 수도권 과물량 구간이 해소되며 2021년부터 2023년까지 절대적 공급이 급격히 감소할 것입니다. 따라서 시간이 흐를수록 공급 부족으로 인한 가격 상승 압력은 커질 겁니다.

현재 주택 수요는 무주택 수요, 1주택 갈아타기 수요가 주를 이루고 있습니다. 즉, 다주택자가 시장에 미치는 영향력이 적은 상황입니다. 그렇다면 무주택, 1주택 갈아타기 수요를 억제해야 하지만, 현재 서민 보호 차원에서 무주택자와 1주택 갈아타기 수요에 규제를 가하는 것은 불가능에 가깝습니다. 거주의 자유와 이동의 자유를 빼앗아가는 것이기 때문이죠.

이런 상황에서 **다주택자 보유세 중과는 실질적으로 현재 부동산 가격을 상승시키는 주요 세력(무주택자, 1주택자)에 영향을 주지 못합니다. 오히려 다주택자의 불만을 키우고 증여로 인한 매물 잠김 등 부작용이 발생하게 됩니다.** 결국, 규제가 강해질수록 사람들은 똘똘한 한 채 전략을 펼칠 것이고, 서울 집값은 고공 행진할 것입니다.

3기 신도시 입주 시점

주택 시장은 과거를 학습하며 큰 맥락이 계속 반복됩니다. 과거 신도시 공급을 공부해본다면 3기 신도시의 공급 기간도 예상해볼 수 있을 겁니다.

2기 신도시는 지구 지정부터 분양까지 평균 81개월이 걸렸습니다. 판교신도시는 51개월, 위례신도시는 64개월, 평택고덕신도시는 126개월이 걸렸습니다. 문제는 지구 지정부터 준공까지가 아닌 '분양'까지 평균 81개월이 걸렸다는 점입니다.

그렇다면 3기 신도시는 어떨까요? 정부는 지구 지정부터 분양까지

● 2기 수도권 신도시 건설 현황

구분	사업면적 (㎢)	수용인구	주택건설 (공동주택)	개발기간	최초입주
성남 판교	8.9	8만 8,000명	2만 9,300가구	2003~2017년	2008년 12월
화성 동탄1	9	12만 6,000명	4만 1,500가구	2001~2018년	2007년 1월
화성 동탄2	24	28만 6,000명	11만 6,500가구	2008~2021년	2015년 1월
김포 한강	11.7	16만 7,000명	6만 1,300가구	2002~2017년	2011년 6월 (2008년 3월)
파주 운정	16.6	21만 7,000명	8만 8,200가구	2003~2023년	2009년 6월
광교	11.3	7만 8,000명	3만 1,300가구	2005~2019년	2011년 7월
양주 (옥정·회천)	11.2	16만 3,000명	6만 3,400가구	2007~2018년	2014년 11월
위례	6.8	11만 명	4만 4,800가구	2008~2020년	2013년 12월
고덕국제화	13.4	14만 명	5만 7,200가구	2008~2020년	2019년 하반기
인천 검단	11.2	18만 4,000명	7만 4,700가구	2009~2023년	2020년 상반기

자료 · 국토교통부

의 기간을 평균 24개월로 당긴다고 발표했습니다. '최초 분양'을 말이죠. 이에 따라 하남교산신도시는 25개월, 인천계양신도시는 21개월 등 평균 24개월에 지구 지정부터 분양까지 마칠 계획입니다.

계획대로 가능하다는 가정하에 분양까지 2년이 걸리는 셈입니다. 일반적으로 아파트 건설 기간은 보통 2년 6개월 걸린다고 봅니다. 그러면 적어도 2021년 1월 기준으로 4년 반이 지나야 입주할 수 있다는 계산이 나옵니다. 즉, 2025년이 되어야 3기 신도시가 공급 물량에 잡히는 것입니다. 그것도 계획대로 빠르게 모든 절차를 진행한 경우에 말입니다.

문제는 3기 신도시 토지 보상 문제로 토지주와 마찰이 발생하고 있으며 대부분 3기 신도시 토지 보상 착수는 21년 12월로 계획되어 있는 만큼 현 시점(21.7/11) 기준 토지도 확보되지 못한 상황입니다. 1기 신도시의 경우 노태우 정부 시절 강하게 밀어붙여 강제 수용으로 4년여 만에 1기 신도시를 공급한 바 있습니다. 그러나 재산권을 보호받는 현재로선 강제 수용은 불가능한 일입니다.

● 올해 하반기 수도권 주요 사업지구 토지보상 현황(단위: 만m²)

사업지구	면적	토지보상 시기
고양 창릉	812.7	21년 12월
남양주 왕숙1	886.2	21년 12월
남양주 왕숙2	239.2	21년 12월
부천 대장	342	21년 11월
부천 역곡	66.2	21년 12월
광명 학온	68.3	21년 12월
양정역세권	206.3	21년 10월
풍무역세권	87.4	21년 8월
안성테크노밸리	82.8	21년 8월
용인반도체클러스터	415.5	21년 11월

자료 · 매일경제

그렇다면 앞서 설명한 등록임대주택 제도 폐지와 증여 주택으로 인한 급격한 유통 물량 증가 시점인 2025년, 그리고 3기 신도시 입주 시점이 가깝게 붙어 있을 가능성이 큰 상황입니다. 그만큼 2025년도는 아파트 시장 흐름의 본질인 순공급 증가와 촉매 역할을 할 수 있는 유통물량 증가가 맞물리는 시점으로 아파트 시장의 변곡점으로 보이며 재건축, 재개발, 리모델링에서 나오는 멸실량의 정도에 따라 시장의 흐름이 결정될 것입니다. 멸실량은 정부 정책에 따라 달라지기 때문에 현재 정확한 확인은 어려운 상황이며, 2023~2024년이 되면 멸실량 추세가 명확해질 것입니다.

3기 신도시 입주 물량과 문제점

3기 신도시 입주 시점을 대략 파악했다면, 다음으로 3기 신도시 물량도 확인해볼 필요가 있습니다. 앞서 말한 대로, 계획된 3기 신도시 물량은 30만 호입니다. 1기 신도시와 마찬가지로 30만 호를 공급하므로, 역대급 공급이라고 보는 시각도 있습니다. 과연 그럴까요?

● 1기 수도권 신도시 건설 현황

구분	사업면적 (㎢)	수용인구	주택건설 (공동주택)	개발기간	최초입주
분당	19.6	39만 명	9만 7,600가구 (9만 4,600가구)	1989년 8월~ 1996년 12월	1991년 9월
일산	15.7	27만 6,000명	6만 9천 가구 (6만 3,100가구)	1990년 3월~ 1995년 12월	1992년 8월
평촌	5.1	16만 8,000명	4만 2천 가구 (4만 1,400가구)	1989년 8월~ 1995년 12월	1992년 3월
산본	4.2	16만 8,000명	4만 2천 가구 (4만 1,400가구)	1989년 8월~ 1995년 1월	1992년 4월
중동	5.5	16만 6,000명	4만 1,400가구 (4만 500가구)	1990년 2월~ 1996년 1월	1993년 2월
전체	50.14	116만 8,000명	29만 2천 가구 (28만 1천 가구)	-	-

자료 · 국토교통부

하지만 들여다보면 실상은 다릅니다. 1기 신도시만 30만 호 공급됐지, 1기 신도시 주변으로 비슷한 기간에 약 120만 호의 아파트가 건설됐습니다. 예를 들면 일산이 1기 신도시이지만, 바로 옆에 위치한 화정동과 행신동을 비롯한 덕양구에서도 비슷한 시기에 약 3만 호가량 입주가 진행되었습니다. 마찬가지로 1기 신도시인 분당 아래 용인, 수지에도 아파트가 공급됐습니다. 이는 아래 그래프를 보면 알 수 있습니다. 1991년 9월 1기 신도시 최초 입주 이후로 연간 15만 호 이상 10년 이상 꾸준히 공급이 이루어지고 있습니다.

● **수도권 입주 물량**

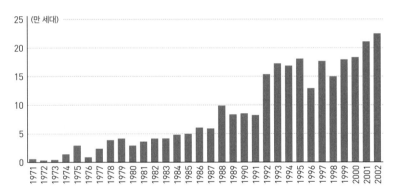

자료 · 아포유

3기 신도시의 경우 30만 호만 예정되어 있으며, 토지 부족으로 주변에서의 추가 공급이 과거처럼 많지 않기 때문에 단순히 30만 호라는 수치가 같다고 해서 똑같이 많다고 판단하기가 힘듭니다. 현재 부동산 시장은 30만 호 공급으로 잡을 수 있는 상태가 아닙니다. 2024년까지 누적될 공급 부족을 생각해본다면 1년에 15만 호씩 4~5년간 꾸준히 공급해야 부동산 시장이 안정화될까 말까 한 상황입니다.

심화 학습 ④ ···

한편, 3기 신도시는 구조적 문제를 지니고 있습니다. 바로, 서울 수요를 분산시키기 어렵다는 것입니다. 현 청약제도에서는 '지역우선공급제'로 50%를 공급하고 있기 때문입니다. 즉, 지역주민에게 50%를 선분양하는 것이죠.

과거 1기 신도시 분양에서 지역우선공급제 물량은 10%에 불과했습니다. 이때문에 많은 서울 거주자를 수도권 외곽으로 분산시키는 효과가 분명했습니다. 정리하자면 3기 신도시의 경우, 전체 분양 물량의 50%는 임대주택, 나머지 50% 중 절반은 지역우선공급제로 공급되므로 서울 수요를 분산시키기 어려운 편입니다.

3기 신도시의 목적은 절대적인 공급 부족을 보충하기 위함으로, 그 효과는 분명합니다. 하지만 임대주택 비율이 과도하게 높고 서울 수요 분산이 어려워서, 3기 신도시의 분산 효과는 단순 공급 수치만 가지고 판단한 것보다 다소 떨어질 것으로 보입니다.

임대주택이 시장에 효과를 불러오려면

한국의 전체 임대주택 중 민간임대주택과 공공임대주택의 비율은 5:1 정도입니다. 이렇게 국가에서 공급하는 공공임대주택에 비해 민간의 임대주택 공급 비율이 높은 건 비단 한국만의 일이 아니며, 전 세계 대부분 국가가 그렇습니다.

이유는 간단합니다. 모든 임대주택을 정부가 공급하기에는 천문학적인 재정이 투입되기 때문입니다. 또한, 운영 측면에서도 민간에 준하는 임대료를 받을 수 없기에 건설 비용에 대한 적자가 해소되지 않습니다.

과거 공공임대주택 비율을 전체 주택의 8%에서 12%로 올리는 데 LH(한국토지주택공사)에서 100조에 가까운 적자가 발생했을 만큼 정부 주도 아래 모든 임대주택을 공급하는 것은 재정적으로 불가능하다고 볼 수 있습니다.

그러므로 임대 공급이 필요한 만큼 정부는 민간의 힘을 빌리고, 민간 임대주택사업자는 세금 혜택을 받는 그런 상생하는 관계가 생겨난 것입니다. 물론 부동산 하락기에는 민간임대주택사업자인 다주택자들이 큰 손실을 볼 것이고 상승기에는 큰 이익을 볼 것입니다.

임대사업도 '사업'입니다. 즉, 정부와 임대 공급을 책임지는 사업자이자 동업자입니다. 하지만 시기에 따라, 특히 상승기에 다주택자를 적폐로 몰아세우는 것은 적절하지 못하다고 봅니다. 이는 부동산 가격 상승으로 서민이 힘들어지자 서민의 화풀이 대상을 다주택자로 돌리는 것일 뿐입니다.

여기까지 이해하셨다면, 다주택자가 반드시 시장에 필요하다는 것을 알게 될 겁니다. 그렇다면 정부는 왜 임대주택을 그토록 공급하고 싶어 할까요? 큰 적자가 발생함에도 말이죠.

그건 전체 임대주택 중 정부가 공급하는 공공임대주택이 많아질수록 임대 시장에 가격 안정화가 오기 때문입니다. 즉, 저렴한 임대주택 공급이 많아지니 전월세 가격 상승이 어려워지는 것이죠. 뒤에서 설명하겠지만, 여기에는 질적인 면이 따라와야 합니다.

어쨌든 저렴한 임대주택의 수를 늘린다는 측면에서 정부의 임대주택 공급은 의미 있는 정책으로 볼 수 있습니다. 하지만 전월세 물량으로만 공급되기 때문에 현재 부동산 시장의 과열된 가격을 낮추는 데 효과가 큰 방법은 아닙니다. 물론 전세가를 안정시켜 매매가도 조금은 수그러들 수는 있겠지만, 아무래도 임대주택보다 일반분양을 통해 매매·전세·월세를 고루 공급하는 것이 매매가와 전세가를 안정시키는 데 훨씬 효과적입니다.

그리고 정부의 임대주택 공급은 시기를 잘 따져야 합니다. 정부의 임대주택 공급 효과가 정부가 원하는 대로 나오려면 지금같이 공급 부족 시기가 아닌 공급이 충분한 부동산 시장 안정기에 임대주택 공급 물량을 늘려야 합니다.

또한, 임대주택의 질적 측면도 중요해졌습니다. 방 3개 이상의 준신축 이상 아파트가 절대적으로 부족하기 때문에, 이러한 수요를 충족하는 아파트가 아니라면 공공임대주택 공급으로 시장 안정화 효과를 얻기는 어려울 것입니다. 따라서 원룸이나 투룸 형태의 공공임대주택만 공급된다면, 공급이 늘어날수록 오히려 부동산 시장 안정화와는 거리가 멀어질 가능성이 크다고 볼 수 있습니다.

청약 경쟁률을 올바로 보는 관점

청약 경쟁률이 높아진다는 건 여러 가지 의미가 있습니다. 우선 구조적인 측면에선 미분양 발생 가능성이 없어지는 것입니다. 또한, 청약 경쟁률 상승으로 시장의 대기 매수 수요를 파악할 수 있습니다. 청약에 도전하는 대부분의 사람은 무주택자이므로, 무주택자들이 대거 실거주자가 되려는 움직임을 보인다는 것을 알 수 있죠. 이는 짧은 기간 내에 하락을 맞이하기 어렵다는 뜻입니다. 그리고 청약 경쟁률의 우상향은 상대적으로 수요 대비 공급이 줄어들고 있다는 방증으로 볼 수 있습니다.

여기서 중요한 건 청약 경쟁률이 높아질 때 어떻게 대응해야 하는가입니다. 분명한 건 청약 경쟁률을 뚫고 당첨되는 것보다 주변 아파트를 매수하는 것이 수익을 낼 가능성이 크다는 점입니다. 청약보다 가격 상승 폭이 적더라도 말이죠. 즉, 될지 안 될지 모르는 운에 내 투자를 맡기기보단 적극적으로 주변 단지를 매수하는 것이 좋습니다.

분양권 투자에 대하여

최근 분양가 상한제가 로또 분양이 되면서 너도나도 분양권을 갖는 것이 소원일 것입니다. 현시점 분양권이 좋은 건 누구나 아는 상황이니 반대로 분양권의 위험성에 대해서도 설명하고자 합니다(지금 위험하다는 것은 아닙니다).

분양권이 초기 비용도 적고 취득세·보유세도 없어 위험하지 않다고 착각하는 사람들이 점점 많아지고 있습니다. 앞서 언급한 바 있지만, 과거 상승기 후반부에 분양권을 여럿 매수한 투자자 가운데, 입주 시기와 시장 하락 흐름이 맞물리면서 전세가 하락으로 파산하는 경우가 많았습니다. 지난 2009~2010년이 그런 경우였습니다.

2015~2018년 초 분양권 당첨자 또는 매수자 중에는 입주 시기에 프리미엄이 많이 붙으며 분양가보다 더 많은 대출이 나오는 경우가 꽤 흔했습니다. 전세가를 분양가보다 높게 받아 소액으로도 가능한 투자라는 인식이 주택 시장에 만연하지만, 분양권은 생각과 다르게 굉장한 하이리스크 상품이기도 합니다.

분양권 투자는 계약금 지불 후 3년 이후 가격을 예측해야 여러 채 투자가 가능합니다. 굉장히 어려운 투자라 할 수 있습니다. 3년 뒤의 시장을 정확히 예측할 수 있는 사람이 그렇게 많을까요? 상승 흐름이 오랜 기간 지속되며 전셋값이 폭등하는 현시점에서 분양권이 가장 좋은 투자라 하는 건 결과론적인 생각입니다.

이런 위험 요소를 항상 생각하고 투자해야 하며, 분양권을 대책 없이 너무 늘리는 건 위험하다는 걸 명심하시기 바랍니다. 항상 좋은 것의 이면도 함께 보시기 바랍니다. 분양권이 좋지 않다는 건 아닙니다. 투자 시기가 있다는 것입니다.

분양권 투자의 가장 좋은 타이밍은 상승 흐름 초반입니다. 예를 들어 공급이 줄어들고 하락 흐름이 끝나 상승 흐름을 맞이할 때 신축이 귀해지면서 분양권의 가치가 오를 수 있습니다. 경쟁률도 굉장히 낮고 좋은 입지임에도 미분양된 분양권도 있습니다. 이런 시기에 확신을 가지고 선진입하기 위해 열심히 공부해야 합니다.

유동성 vs 주택 공급

주택 시장의 흐름을 결정하는 본질은 유동성일까요, 공급일까요? 유동성도 맞고, 공급도 맞다고 생각하시나요? 그렇지 않습니다. 이 질문에 대한 답은 명확합니다. 이런 질문에 확실하게 답할 수 있을 때까지 부동산 공부를 하신다면 제가 지속적으로 투자를 추천하는 상승 흐름 초입부에 투자할 수 있을 겁니다.

● M2 말잔 통화량

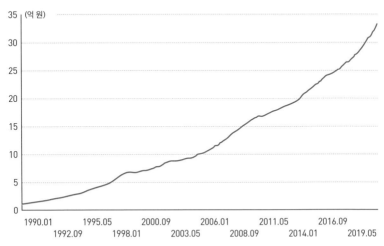

자료 · 한국은행

다시 본론으로 돌아오겠습니다. 현재 코로나19로 인해, 한국은 역사상 최저금리 유동성 팽창으로 M2(총통화) 통화량이 급격히 늘어나며 부동산 가격이 급등하고 있습니다. 그렇다면 현재 급등의 주요 원인은 유동성, 즉 돈일까요?

위와 같이 M2 통화량은 2009년 금융위기 이후에도 지속적으로 가파르게 증가했습니다. 그렇다면 아파트 매매가격지수를 살펴볼까요?

아래의 서울 아파트 매매가격지수를 살펴보면, 2009년 금융 위기 이후 약 4년간 하락세를 띤다는 걸 알 수 있습니다. 유동성이 아파트 가격 상승의 본질이라면, 2009~2013년도의 상황을 어떻게 설명할 수 있을까요?

본질은 공급입니다. 부동산 시장의 상승·하락 흐름을 만드는 가장 핵심이

● 서울 아파트 매매가격지수

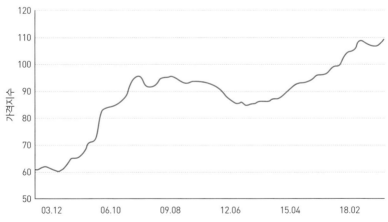

자료 · 한국부동산원

자 본질은 공급 물량입니다. 유동성은 단지 공급 물량이 부족하여 100 상승할 것을 150 상승하게 해주는 촉매 역할인 것입니다. 물론 강력한 촉매 역할을 하는 건 사실입니다. 마치 유동성이 부동산 가격을 상승시키는 본질처럼 착각할 정도로 말입니다. 결국, 경제학 기본으로 돌아가 가격은 수요·공급에서 결정된다는 사실을 명심하시기 바랍니다.

코로나를 통해 배우는 공급의 중요성

저는 결과론적인 얘기를 하지 않습니다. 제 블로그 글을 보시면 알 수 있는 대목입니다. 코로나19 발생 당시 코로나19는 조정을 만들 뿐 상승 흐름이 꺾이지 않을 것이며, 지금은 매수 타이밍이라 이야기한 바 있습니다. 앞으로 또다시 코로나와 같은 위기가 찾아오더라도 어떻게 대응해야 올바른지 스스로 판단하실 수 있어야 합니다.

먼저 이번 코로나19 사태로 주택 시장 가격이 얼마나 변화했는지를 살펴야 할 것입니다. 물론 조정을 받았습니다. 대치은마아파트 기준 2020년 1월 20억 5천만 원에서 2020년 5월 18억 5천만 원까지 조정을 받았습니다.

당시 주식 폭락이나 금융 위기와 차원이 다른, 실물경제 위기라는 공포에서 아파트를 매도하는 사람들이 나왔습니다. 매수도 주춤했죠. 추가로 10년 이상 보유한 다주택자 양도세 중과배제도 있었습니다. 고가 주택에서 매도 물량이 꽤 나왔습니다.

저는 이 당시에도 좋은 매수 기회라고 외쳤습니다. 그 이유는 단 하나입니다. 부동산의 흐름을 결정하는 본질은 언제나 공급이었기 때문입니다. **공급이 앞으로 부족해지는 상황에서 코로나19 사태는 조정일 뿐, 본래 상승 흐름대로 흘러갈 것이기 때문입니다.**

코로나를 통해서 알 수 있는 건, 상승 흐름에서 예상치 못한 위기를 맞거나 규제로 조정이 나온다면 그때가 매수 타이밍이라는 걸 잊지 말아야 한다는 점입니다.

부동산 투자의 끝판왕은 심리?

이런 말을 종종 듣습니다. 투자의 최고 기술이자 가장 고난도는 '심리'란 말을 말입니다. 말 그대로 투자에 있어서입니다. 그리고 이 내용은 주식에 맞는 표현일 수 있습니다. 주식에서야말로 심리가 끝판왕이라 할 수 있겠죠. 유명한 대가들도 그렇게 말하는 경우가 있습니다.

그러나 부동산 투자는 다릅니다. 잘 생각해보십시오. 매수 심리가 높아지는 게 먼저겠습니까? 공급이 부족한 것을 아는 게 먼저겠습니까? 공급이 넘쳐나는데 갑자기 매수 심리가 치솟을 수 있을까요? 절대 불가능합니다. 결국, **부동산에서는 매수 심리조차도 주택 시장 흐름의 본질인 공급량에 의해서 만들어집니다.**

패닉 바잉이 생기는 이유가 무엇일까요? 바로, 많은 사람이 가격이 오를 것 같다고 생각하기 때문입니다. 오르리라 생각하는 건 미래에 점점 더 공급이 부족해질 수 있다는 우려에서 비롯됩니다.

쉽게 말씀드리겠습니다. 주택 시장은 후반기로 갈수록 규제도 늘어나고 이슈도 많아져서 혼란스러워집니다. 저는 이를 난도가 높아진다고 말합니다. **이럴 때일수록 복잡한 지표를 볼 필요가 없습니다. 딱 하나의 지표, 공급량만으로 시장을 판단해도 충분합니다.**

제가 이렇게 설명하면 많은 사람이 당시에는 이해하지만, 그럼에도 이슈가 생길 때마다 어떻게 되는 거냐는 질문을 던집니다. 전문가라는 분들도 각종 지표로 논리를 만들어 방향성을 제시합니다. 하지만 시장을 그렇게 복잡하게 볼 필요가 없습니다. 공부를 많이 하면 할수록 본질은 공급뿐이라는 결론에 도달하며, 공급에 영향을 줄 만한 요인이 나오느냐 아니냐로 모든 게 결정됩니다.

결국, 이슈가 나올 때마다 흔들리는 이유는 부동산에 대한 공부가 부족하기 때문입니다. 부동산 시장 공부란 본질을 알아가는 과정이고 본질에 확신을 가지는 것이 그 끝입니다. 이 말을 꼭 새겨두시면 좋겠습니다.

리츠를 통한 임대주택 공급의 가능성

주택 시장을 안정화하는 방법 중 하나는 공공임대주택의 충분한 공급입니다(물론 일반분양보다 효과는 적은 방법입니다). 하지만 실현 가능성이 떨어지는 이유는 앞서 말했듯이 재정이 부족하기 때문입니다.

덧붙이자면, LH에서 2010년 이후 청년·신혼부부를 대상으로 하는 매입형 임대주택사업을 본격화하면서 주택도시기금과 임대보증금 관련 부채가 늘어났습니다. LH의 2020년 기준 부채는 132조 원에 달합니다. 사실 재정 부족 정도가 아니라, LH 존재 자체가 위험한 수준입니다. 그러므로 수많은 임대 물건을 민간인을 통해 공급하고 있는 것입니다.

하지만 건설 비용을 리츠(투자자의 자금으로 부동산에 투자하는 뮤추얼펀드) 형태로 공급받아 공기업이 사업을 진행한다면 공공임대주택의 안전한 공급이 가능할 수 있습니다. 투자자들의 돈으로 임대주택을 제공하고 이후 월세 수익을 배당 형태로 돌려주면 되기 때문입니다. 문제는 투자자들을 모으기 위해서 수익성이 있어야 한다는 것입니다.

만약 성공적으로 투자금을 모으고 임대를 잘 맞춰 수익이 발생하는 사례가 늘어나면 어떨까요? 그렇다면 추후 아파트 공급 또한 리츠 방식이 가능해지면서 부동산 판도가 바뀔 수도 있으리라 생각합니다.

아직 먼 이야기이고 실현 가능성이 크지 않습니다. 그러나 서울시에서 고덕강일지구에 첫 아파트형 셰어하우스를 건설하는 등 새로운 시도를 하는 만큼, 가능성이 열려 있다는 정도로 생각하면 좋을 듯합니다.

대출과 부동산 규제 정책 간단히 살펴보기

— 03 —

대출 규제 해석 방법

대출 규제가 나오면 주택 시장에 어떤 영향을 줄지 해석하기 어려우신 가요? 간단하고 명확하게 해석하는 방법을 알려드리고자 합니다.

먼저 현재 아파트 매수 수요자를 확인해야 합니다. 현재는 무주택 자가 수요의 주축을 이루고 있습니다. 그럼, 답은 나왔습니다. 무주택 자에게 영향을 줄 만한 대출 규제라면 주택 시장에 영향을 줄 수 있습 니다.

만약 무주택자에게 아무런 영향이 없고 다주택자들에게만 영향을 주는 규제가 나온다면 어떨까요? 또는 무주택자에겐 혜택을 준다면 어떨까요? 대출 규제는 주택 시장의 흐름에 영향을 주지 못할 뿐더러 오히 려 상승세를 과열시킬 것입니다.

신용대출에 대한 2가지 질문

저금리로 인한 유동성 확대가 원인이 되어 가계대출(주택담보대출+신용대출)이 증가하고 있습니다. 이 중 신용대출에 대하여 아래 2가지 질문에 답해보겠습니다.

첫째, 신용대출 증가는 문제인가?

둘째, 신용대출이 주택 시장에 얼마큼 유입되는가? 그리고 신용대출을 정부가 막을 수 있을까?

첫 번째 질문에 답하자면, 신용대출은 말 그대로 개인 신용에 따라 대출을 받는 것입니다. 즉, 주택담보대출과는 성질이 다릅니다. 주택담보대출은 개인 신용이 좋지 않으면 이율이 올라갈 순 있으나 담보대출 비율이 줄어들진 않습니다(고가 주택 DSR(총부채원리금상환비율) 제한되는 경우 제외).

주택담보대출의 경우 신용이 낮은 사람이 대출을 많이 받은 이후 금리가 상승하면 파산 위험이 커집니다. 2009년 서브프라임 모지기 사태를 경험했기에 정부는 LTV, DTI, DSR로 담보대출 비율을 통제하고 있습니다. 담보대출 비율을 통제하는 것은 장기적으로 개인의 재무 건전성 측면에서 좋은 방향이라 생각합니다.

하지만 신용대출은 개인의 신용을 보고 대출의 총량을 은행에서 결정합니다. 신용이 낮은 사람이 신용대출을 많이 받고 싶다고 해서 받을 수 있는 것이 아닙니다. 신용대출은 그만큼 신용이 좋고, 급여가 많으며, 직장이 튼튼한 사람들이 많이 받을 수 있는 것이기에 사실 위험성이 적다고 볼 수 있습니다.

즉, 신용에 따라 총량이 결정되기에 과거의 주택담보대출과 그 위험성을 똑같이 비교해서는 안 됩니다. 오히려 위험도가 높지 않은 편인데, 이를 억제한다는 건 단지 부동산에 흘러 들어가는 돈 자체를 막겠다는 것입니다.

두 번째 질문에 답하면, 신용대출이 주택 시장에 많이 흘러 들어가면 매매가격 상승에 영향을 줄 수 있으나, 이 신용대출이 주택 시장으로 얼마큼 흘러 들어가는지는 사실 정확히 알 수 없습니다.

그러나 얼마큼 유입되는지 유추해볼 수는 있습니다. 바로 신용대출 상승 비율과 주택담보대출 상승 비율을 비교하는 것입니다. 신용대출이 주택 매매에 사용된다면 주택담보대출 상승 비율이 신용대출 상승 비율보다 월등히 높아야 합니다.

예를 들어, 5억짜리 수도권 아파트 매매 시 본인 돈(저축)과 주택담보대출 그리고 신용대출을 이용하여 매수한다고 생각해보겠습니다. 먼저 전체 금액의 50%를 주택담보대출로 충당한다면 2억 5천만 원이 됩니다. 그리고 추가로 1억 원의 신용대출을 받았다고 생각해보겠습니다. 그러면 본인 돈으로 1억 5천만 원이 들어가게 됩니다. 따라서 주택담보대출은 신용대출에 비해 2.5배 상승하게 됩니다. 신용대출로 5천만 원을 받는다면 주택담보대출은 신용대출에 비해 상승 비율이 5

배가 됩니다. 이처럼 보통은 주택담보대출로 부족한 자금을 신용대출로 충당하기에 신용대출이 부동산 구입에 쓰인다면 주택담보대출 총량도 함께 늘어나고 그 속도는 훨씬 빨라야 한다는 겁니다.

이런 개념을 이용하여 아래 내용을 같이 살펴보겠습니다. 아래의 자료는 신용대출이 주택구입자금으로 사용되어 문제라는 뉴스가 많았던 2020년 5~8월까지의 가계대출 월별 증가 규모입니다. 급격히 상승한 8월을 보더라도 신용대출은 전월 대비 54% 상승하고 주택담보대출은 53.8% 증가했습니다. 신용대출이 주택 매매 시 많이 사용되었다면 신용대출금 증가량에 비해 주택담보대출금 증가량이 훨씬 커야 합니다. 그러므로 최근 신용대출이 주택구입자금으로 사용되어 문제가

● **가계대출 월별 증가 규모**

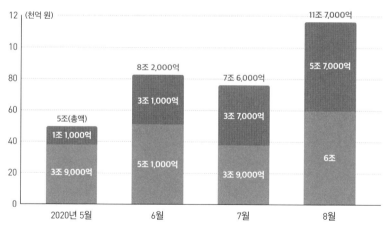

■ 주택대출(전세·중도금 포함) ■ 기타대출(대부분 신용대출)
자료 · 한국은행

된다고 언론에서 말하고 있지만, 이는 추정일 뿐 실제로 신용대출이 부동산 시장에 많이 유입되지는 않습니다. **즉, 현재의 신용대출금은 주택 시장보다 주식, 생활안정자금에 훨씬 많이 유입되고 있다고 볼 수 있습니다.**

정리하면 현재 신용대출이 부동산에 흘러 들어가는 양은 정부에서 말하는 것처럼 심각한 상황이 아니며, 오히려 주식 투자를 위한 자금 또는 코로나19로 인한 생활안정자금으로 사용되는 경우가 훨씬 많은 것입니다. 이런 관점에서 정부의 신용대출 중단 가능성은 없다고 유추할 수 있습니다. 또한, 신용대출 사용 출처를 알 수 있는 시스템이 갖춰지지 않은 상태에서 신용대출 중단은 현실상 불가능합니다. 신용대출 축소 정도가 최선이리라 생각합니다.

주택담보대출 증가의 의미

부동산 상승 흐름에서는 신규 매수자가 늘어나면서 주택담보대출이 증가하는 건 너무나 당연한 현상입니다. 쉽게 설명하자면, 무주택자가 주택을 매매할 때 주택담보대출이 늘어납니다. 그리고 1주택 갈아타기 수요자가 한 단계 비싼 아파트를 매수할 때도 주택담보대출이 증가합니다. 또한, 다주택자 매물이 시중에 풀려서 임대 물건이 실입주 물건으로 전환되는 경우에도 주택담보대출이 늘어나게 됩니다.

주택담보대출이 가장 많이 늘어나는 경우는 분양 및 입주 물량이 증가할 때입니다. 앞에서 사이클을 다루면서도 설명한 바 있는데, **상승장**

중후반이 되면 입주 물량이 점점 늘어나게 됩니다. 이때 분양 시 중도금 대출을 받고, 입주 시 잔금 대출을 받으면서 주택담보대출이 급격하게 늘어납니다. 따라서 부동산 시장에서 상승 흐름이 오래 지속될수록 주택담보대출의 **총량도 함께 증가하여 최대치를 갱신하는 것은 매우 당연한 일입니다.**

그리고 이러한 분양 및 입주 물량과 같은 공급의 증가는 하락 흐름을 야기하기 때문에 역사적으로 주택담보대출이 하락 흐름 전에 항상 고점을 찍었었습니다.

우리가 알아야 할 건 주택담보대출 증가가 문제가 되는 경우입니다. 먼저, 대출 규제 없이 무자비하게 주택담보대출이 풀리는 경우입니다. 1980년대 일본처럼 LTV 80~100%로 주택담보대출을 계속 공급했던 사례가 이에 해당합니다. 마찬가지로, 서브프라임 모기지 사태 때도 신용이 낮은 사람들에게 주택 매수가의 100%에 가까운 또는 그 이상의 대출을 해줬습니다.

이러한 경우에는 향후 금리가 급격히 인상되면 과도한 주택담보대출로 인해 실거주 비용이 증가합니다. 이 때문에 이자 비용을 감당하기 힘든 서민의 파산을 불러옵니다. 특히 저금리일 때 그 위험은 배가 됩니다.

따라서 부동산 상승기에 국가 차원에서 대출 한도를 LTV와 DSR로 규제하는 건 부동산 시장을 안정적으로 관리하는 좋은 방향으로 볼 수 있습니다. **대출 규제를 하지 않는다면 상승기에 주택 시장은 큰 폭으로 상승하고, 하락기에는 더욱 큰 폭으로 하락하게 됩니다.** 결국, 상승 흐름에서 주택담보대출 증가는 당연한 현상이며, 그 총량을 LTV로 적당히 규제하는지가 시장의 위험성을 판단하는 중요 포인트입니다.

현재 한국의 주택담보대출은 LTV로 규제 강도가 높기 때문에 대출의 증가 폭이 OECD 주요국들에 비해 안정적으로 관리되고 있습니다. 이 때문에 주택 매수 시에 어려움이 따르지만, 주택 시장 유동성 규제 측면에서는 우수한 편이라고 할 수 있습니다.

또한, 저금리 유동성 확대로 시중에 M2가 사상 최대치를 기록하고 있는 상황에서 통화량 증가 폭보다 주택담보대출 증가 폭이 크다면 문제로 인식할 수 있습니다. 하지만 현재는 그렇지 않습니다. 결론적으로 가계빚이 사상 최대라고 겁을 주는 기사들이 많지만, 실제로는 그리 큰 문제가 되지 않는다고 볼 수 있습니다.

최근에는 주택담보대출에 대한 이야기가 많이 줄어들었습니다. 왜 그럴까요? 실제로 주택담보대출 증가 폭이 많이 줄어들었기 때문입니다. 그 이유에 대해서 알려드리겠습니다.

먼저, 가계대출이 늘어나는 경우는 전월세 거주자가 매매 후 실거주로 전환할 때입니다. 하지만 많은 사람이 이제는 자가를 보유하고 있습니다. 이미 수도권을 제외하면 도 지역 자가 보유율은 2019년도에 이미 70%를 넘어섰으며 광역시도 2021년에 65%를 넘어선 것으로 추정됩니다. 그만큼 과거보다 자가를 보유하고 있는 사람들이 많아진 상태입니다. 그래서 주택담보대출 증가세가 줄어들고 있습니다. 또한, 공급이 줄어들면서 분양 아파트의 중도금 대출과 입주 시 잔금 대출 감소가 영향을 끼친 것으로 보입니다. 즉, 아파트 공급이 줄어들면서 주택담보대출 증가세도 사그라든 것입니다.

여기서 문제가 생깁니다. 정부는 매번 가계 부채의 위험성을 말하면서도 아이러니하게도 주택 가격을 잡으려고 합니다. 앞뒤가 안 맞는 말입니다. 주택 시장을 잡기 위해선 공급을 많이 해야 하는데, 공급을 많이 하면 가계 부채는 증가하기 마련입니다.

결국, 시장을 올바로 본다면 부동산 상승기에 투자자나 실거주자들에 의한 가계대출 급증은 어쩔 수 없이 발생할 수밖에 없는 현상으로 받아들여야 합니다. 여러 번 강조하지만, 상승기에는 필연적으로 분양 및 입주 물량이 늘어나므로 분양권 중도금 대출과 입주 시 잔금 대출로 가계대출이 증가하게 됩니다.

즉, 상승장에서 기사에 자주 등장하는 투기 과열로 인한 가계 부채 급증이라는 의견은 현재 시장을 올바르게 보고서 나온 말이 아닙니다. 오히려 과열된 부동산 시장에 실체 없는 위험성을 부각하여 공포 분위기를 조성하는 것뿐입니다.

결국, '공급 축소는 가계 부채를 줄이지만 부동산 가격 상승으로 인한 양극화와 자산 인플레이션을 확대시킨다' 또는 '공급 확대를 통한 가계 부채 증가와 주택 가격 하락으로 인한 가계 위험성' 중에 현시점에 무엇이 시장을 더욱 안정적으로 끌고 갈지 선택해야 할 뿐입니다.

지금은 공급 확대를 통한 가격 안정화가 필요한 시점이고, 가계 부채 증가가 다소 걱정되니 LTV, DTI, DSR 등으로 대출 규제를 하는 것이 최선일 것입니다. 부동산 시장의 모든 것은 서로 연결되어 있고 상호 간에 이율배반 관계인 경우가 많습니다. 시기마다 상대적으로 중요도가 달라지기 때문에 정부 입장에서는 피치 못하게 어떤 것을 선택해야 하는 것이죠.

대출 규제의 경우 서민에게는 자가 매입의 어려움을 불러옵니다. 하지만 상승기에 부동산 가격을 안정시키기 위해 대출 규제로 유동성의 과도한 증가를 어느 정도 억제하는 건 정부 입장에서 당연한 행보입니다.

심화 학습 ①

그렇다면 부동산 시장에 유입되는 돈 가운데 규제가 전혀 되지 않고 있는 건 무엇일까요? 바로 전세자금대출입니다. 여기에 더해 초저금리가 전세자금대출 증가에 큰 역할을 하고 있습니다.

이런 경우 급격한 금리 상승기가 도래하면 전세자금대출 이자 증가로 인해 대출 연장이 어려워지면서 전세가격이 급격히 떨어집니다. 이는 매매가격 하락이라는 위험한 상태를 불러올 수 있습니다. 임차인들이 전세자금대출 이자를 감당하지 못하게 되면 전세가 하락은 필연적입니다.

앞서 이야기한 대로 주택 가격의 하방을 지지하는 전세가격이 무너지면, 매매가격도 덩달아 무너지고 맙니다. **부동산 시장의 뇌관은 주택담보대출이 아닌 규제 없이 늘어나고 있는 전세자금대출입니다. 그리고 핵심은 전세자금대출 이율에 큰 영향을 줄 수 있는 금리의 급격한 상승입니다.**

다시 언급하지만, 이번 부동산 시장 흐름의 중요 지표 중 하나는 전세자금대출과 금리입니다. 앞으로 2~3년간 급격한 금리 인상만 없다면 공급이 증가할 때까지 시장의 흐름이 변하는 일은 없을 겁니다.

한눈에 살펴보는 정부 규제 및 정책

—— 04 ——

규제 대응 방법

최근에 부동산 규제(정책)가 자주 발표됩니다. 이럴 때마다 부동산 시장이 어떻게 변할지 많은 사람의 관심이 이어집니다.

앞서 말했듯이 정부는 상승 흐름이 진행될수록 더욱 자주 규제를 발표하게 됩니다. 정부는 주택 가격을 결정할 권리는 없지만, 시장 건전성, 주거 안정성을 위해 적절한 규제를 펼쳐야 합니다. 전 세계 어느 국가라도 저마다 부동산 규제는 있습니다.

시장이 더욱 과열될수록 정책 및 규제 발표는 더 잦아질 겁니다. 즉, 우리가 해야 할 일은 규제를 받아들이는 것입니다. 부정한다고 규제를 막을 수 있는 것도 아닙니다. 게임을 할수록 난도가 높아지듯, 부동산 투자도 상승 흐름이 지속될수록 난도가 높아진다고 생각해야 합니다.

규제를 살필 때 따질 점은 크게 3가지입니다.

① 포트폴리오 조정 가능성
② 시장 흐름 방향의 변동 가능성
③ 시장 분위기 탐색

첫째, 내 포트폴리오를 직접 조정해야 하는 규제인지 살펴야 합니다. 예를 들어, 법인 종합부동산세 중과와 같은 경우입니다. 이런 경우에 법인이라면 그동안 세운 계획에 문제를 일으킬 만한 항목들을 나열합니다. 그리고 그 항목에 대해서 어떻게 대응할지 계획을 수정해볼 수 있습니다.

둘째, 그 규제가 시장의 방향성을 바꾸는지 들여다봐야 합니다. 많은 투자자가 규제 발표로 앞으로 집값이 어떻게 될지 궁금해합니다. 그렇다면 주목해야 할 핵심은 부동산 흐름의 본질을 건드는 규제가 나왔는지를 보는 것입니다. 여기에 답할 수 있어야 규제 발표 때마다 흔들리지 않고 투자를 계속해나갈 수 있습니다.

수없이 말씀드리지만, 본질은 공급입니다. 자세히 이야기하면 확정된 공급입니다. '2025년까지 ○○만 호 공급 예정'과 같은 예정 사항은 시장의 방향을 훼손하지 못합니다. 또한, 확정된 공급이더라도 2~3년 뒤의 공급은 현재 방향성엔 영향을 주지 못합니다.

본질을 건들지 않는 규제는 먼지가 잠깐 바람에 날리는 정도의 영향을 줄 뿐, 시간이 흐르면 먼지가 다시 가라앉듯이 시장 방향성은 가던 대로 흘러가게 됩니다. 즉, 정책 및 규제 발표 순간에 주변 소음에

쉽게 흔들릴 필요가 없는 것입니다.

셋째, 정책 및 규제 발표 후 실제 시장 분위기를 살펴야 합니다. 자기 생각대로 시장이 움직이는지 모니터링하는 것이죠. 이 부분은 굉장히 중요합니다. 내가 한 예측, 전망, 분석이 정확했는지 확인해볼 수 있기 때문입니다.

이런 과정을 거치다 보면 앞으로의 규제에 스스로 현명하게 대처할 수 있을 겁니다. 앞으로도 정부의 규제 발표는 계속될 것입니다. 규제는 막을 수 없고 대응하는 것밖에 방법이 없습니다. 앞으로 예정된 규제들도 위와 같은 방식으로 덤덤히 대응해 나가셨으면 좋겠습니다.

부동산 세금 정책 정리하기

① 취득세 중과가 시장에 미치는 영향

2020년 여름부터 조정대상지역 개인 2주택 취득 시 8%, 개인 3주택 이상과 법인에는 12%라는 어마어마한 취득세 중과세율이 적용됐습니다. 취득세 중과는 확실히 다주택자가 주택을 추가로 늘리기 어렵게 만든 정책입니다. 하지만 여전히 매수 수요를 억제하긴 어렵습니다.

● 다주택자·법인 등 취득세 중과세율

	취득세			
	1주택	2주택	3주택	4주택~법인
조정지역	1~3%	8%	12%	12%
非조정지역	1~3%	1~3%	8%	12%

자료 · 국세청, 행정안전부

왜냐하면 현재 수도권 아파트 가격은 투자자들이 몰려든 탓에 상승하는 것이 아닙니다(비조정 저가 지역은 제외입니다). 현재 아파트 시장의 매수 수요는 무주택자와 1주택 갈아타기 수요가 주를 이루는 상태입니다.

취득세 중과세율에서 볼 수 있듯이, 무주택자에게는 취득세를 중과하지 않습니다. 또한, 일시적 1가구 2주택 갈아타기 수요의 경우에도 취득세를 중과하지 못하니 예외 규정을 만들어 보호해줍니다. 무주택자와 갈아타기 수요를 보호해주지 않는다면 거주의 자유, 이동의 자유를 박탈하는 셈이기 때문입니다. **결국, 취득세율 증가는 다주택자 증가를 막을 뿐, 실제 시장의 주된 수요를 잡을 수 없습니다.**

그러면 다주택 수요를 막는다고 주택 시장이 안정화될까요? 앞서 말했듯이 다주택자가 지금의 상승장을 만든 원인이 아니므로 시장이 안정화될 수 없습니다. 다주택 수요만으로 좌지우지될 만큼 주택 시장은 작은 시장이 아닙니다. 그리고 거시적 관점에서 다주택자를 막는다고 해서 전체 아파트 수가 늘어나는 것도 아닙니다. 다주택자를 막으면 매매 가능한 물량이 늘어나 매매가 상승이 더뎌질 뿐입니다. 아파트 전체 숫자가 늘어나지 않는 이상 하락 흐름으로의 전환은 불가능합니다.

결국, 다주택자를 줄이는 것은 근본적인 방법이 아닌 일시적 대응책일 뿐이며, 무주택자의 매수 심리를 꺾는 것이 본질적인 해결책이지만 이는 가격이 떨어지면 자연스럽게 가능해지는 일입니다. 여러 번 강조하듯, 결국 본질인 공급이 충분히 꾸준히 늘어나지 않는 이상 가격이 떨어지는 건 굉장히 어렵습니다. 나라가 경제 위기 국면에 접어들거나 주택 매수 자체를 공권력으로 막지 않는 이상 현시점에서 가격 하락은 어려운 상황입니다.

② 양도소득세 중과로 인한 증여 건수 증가

보유세 중과의 목적은 다주택자(법인)들이 보유세에 부담을 느끼고 시장에 매물을 내놓게 하는 것입니다. 즉, 실제로 시장에 매물이 많아져야 정책 효과가 있다고 말할 수 있습니다. 문제는 시장에 매물을 내놓을 수 있게 퇴로를 함께 만들어야 했는데, 양도소득세 중과로 퇴로가 막혀 있어 보유도 어렵고, 매도도 어려운 상황이 됐다는 것입니다.

● 양도소득세 보유 기간 및 다주택자 세율(2021년 6월 이후)

구분			세율		
			18.01.01~ 18.03.31.	18.04.01.~ 21.05.31.	21.06.01 이후
조정대상지역 내 주택	2주택자		기본세율	기본세율+10%	기본세율+20%
	3주택 이상자		기본세율+10%	기본세율+20%	기본세율+30%
분양권	조정대상지역		50%		1년 미만: 70% 1년 이상: 60%
	비조정대상지역		기본세율 (1년 미만: 50%, 2년 미만: 40%)		
단기보유 주택 등	1년 미만	주택·입주권 외	50%		50%
		주택·입주권	40%		70%
	2년 미만	주택·입주권 외	40%		40%
		주택·입주권	기본세율		60%

자료 · 국토교통부

이런 상황에서 다주택자들이 선택하는 방법은 '증여'입니다. 다음 표와 같이 증여세가 양도소득세보다 저렴하기 때문이죠. 증여 주택은 앞에서 설명한 대로 이월과세 문제로 시장에 5년간 매물로 나오지 못합니

● 증여세 세율

과세표준	세율(%)	누진공제액
1억 원 이하	10%	-
5억 원 이하	20%	1천만 원
10억 원 이하	30%	6천만 원
30억 원 이하	40%	1억 6천만 원
30억 원 초과	50%	4억 6천만 원

자료 · 국세청

다. 결국, 거래 가능한 물건이 줄어드는 부작용이 발생하게 됩니다.

그렇다면 증여 매물은 어떤 특징을 갖고 있을까요? 대부분 다주택자들이 가진 물건 중 2번째로 좋은 물건일 겁니다. 그래서 서울에서 증여가 증가할수록 좋은 물건의 유통 물량은 줄어들게 됩니다.

다주택자들은 자신이 가지고 있는 물건 중 좋지 않은 물건은 매도할 가능성이 높습니다. 따라서 입지가 좋지 못한 곳에서는 물량이 더 나오는데, 그중에서도 그나마 좋은 물건은 시장에 매물로 내놓기보단 가까운 친인척이나 지인에 매도하는 경우가 많습니다. 이것이 일반 무주택자에게 좋은 물건이 가기 어려운 이유입니다.

양도세가 매년 누진되는 세금인 만큼 정책입안자들은 2021년 6월 다주택자 양도세 중과를 앞두고 2020년 12월에 다주택자 물량이 많이 나오길 기대했습니다. 그러나 앞서 말한 이유로 실제로는 매물이 쏟아지지 않았습니다.

또한, 2021년에 보유세를 한번 내면서 버텨보자는 투자자들도 많습니다. 실익이 더 크기 때문입니다. 증여하든, 친인척에게 매도하든, 계속 보유하든, 다주택자들이 이와 같은 계획을 세우는 이유는 단 한 가지입니다. 2021년 이후에도 상승할 것을 전망하기 때문이죠.

상승 전망은 '공급량 부족'에서 나옵니다. **모든 상승·하락의 원인을 깊게 파고들면 그 종착점에는 늘 공급이 있습니다.**

● 양도세 기본 세율

과세표준	세율(%)	누진공제
1,200만 원 이하	6%	-
4,600만 원 이하	15%	108만 원
8,800만 원 이하	24%	522만 원
1.5억 원 이하	35%	1,490만 원
3억 원 이하	38%	1,940만 원
5억 원 이하	40%	2,540만 원
10억 원 이하	42%	3,540만 원
10억 원 초과	45%	6,540만 원

자료 · 국세청

양도세 누진세의 개념을 설명드리겠습니다. 양도세 부과 기준은 1년 단위입니다. 예를 들어, 2020년 1월부터 2020년 12월 사이에 매도한 주택의 모든 차익을 합쳐서 양도세 세율이 결정됩니다.

자세히 들여다보겠습니다. 2020년 1월에 주택을 매도하여 매도차익이 6천만 원 발생하여 24%의 양도세를 납부했다고 가정하겠습니다. 그리고 2020년 11월에 주택을 또 매도하여 5천만 원의 양도차익이 발생하였습니다. 이때 누진 개념이 적용됩니다. 2020년 1월부터 2020년 12월까지의 양도차익 누적 금액은 1억 1천만 원이 됩니다. 위 표를 참조하면, 세율이 35% 구간에 머문다는 것을 알 수 있습니다. 두 번째 주택 매도 시 양도세 납부 금액은 1억 1천만 원에 대한 35% 기본세율을 적용한 양도세에서 2020년 1월에 이미 납부한 양도세만큼을 제외한 금액입니다(양도세 중과를 배제한 예시입니다).

그렇다면 2021년 6월부터 양도세 중과가 적용되면, 언제 매도 물량이 쏟아지리라 예측할 수 있을까요? 두 채의 주택을 매도할 계획을 세운 사람이라면, 누진 개념 때문에 2020년 12월 전에 한 채를 매도하고 2021년 6월 전에

나머지 한 채를 매도하여 세금을 덜 내고자 할 것입니다. 따라서 2020년 12월 전에 매도 물량이 나오리라 예측할 수 있습니다.

③ 공시가격 현실화로 인한 보유세 증가

보유세(재산세+종합부동산세) 과세는 공시가격을 기준으로 이루어집니다. 따라서 공시가격을 시세의 90% 수준까지 끌어올리는 '공시가격 현실화' 정책으로 공시가격 현실화가 이루어지면 과세표준이 오르면서 보유세는 증가할 수밖에 없습니다. 특히 다주택자인 경우, 중과세율로 최대 6%까지 보유세 과세가 이루어지는 만큼, 세 부담이 늘어납니다. 즉, 공시가격 현실화

● 전국 공동주택 공시가격 상승률 추이

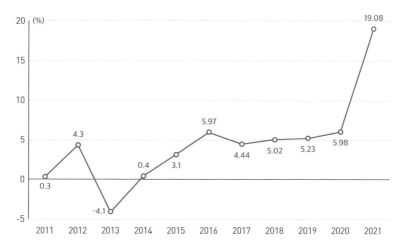

자료 · 국토교통부

는 다주택자들의 매도를 유도하는 정책입니다.

보유세 증가가 부동산 시장에 정부 정책의 의도대로 영향을 주기 위해선 몇 가지 조건이 있습니다.

첫째, 시장에서 상승에 대한 기대감이 줄어들어야 합니다. 즉, 상승에 대한 기대감이 계속된다면 정부의 의도대로 다주택자의 물량이 나오지 않고 버티기로 들어갑니다. 1년간 오를 집값이 종합부동산세보다 많다고 판단하기 때문입니다. 이런 분위기가 지배적일수록 유통 물량이 줄어들어 실제로 수익률이 종합부동산세에 비해 커질 가능성이 높아지게 됩니다.

둘째, 매매 시장보다 전월세 시장이 안정되어 있어야 합니다. 전월세 시장이 안정되어 있지 않으면 전월세 공급의 대부분을 담당하는 다주택자들은 전세가격을 올리거나, 올리려는 전셋값만큼을 월세로 전환합니다. 즉, 임차인에게 과세의 영향을 전가하는 일이 필연적으로 발생합니다.

셋째, 퇴로가 있어야 합니다. 앞서 강조했듯 다주택자들이 매도할 수 있도록 퇴로를 만들어줘야 합니다. 퇴로가 없다면 시장에 매물을 내놓지 않고 세율이 낮은 증여를 선택해버립니다. 오히려 매물이 오랜 기간 잠겨버리는 결과가 만들어집니다.

넷째, 고가 주택일수록 공시가격 현실화 비율을 높이고, 1주택이더라도 고가 주택 종합부동산세 세율을 높인다면 효과가 일어날 수 있습니다. 현실성이 다소 떨어지는 정책이겠지만, 고가 주택 종합부동산세가 1년에 2천~3천만 원가량 된다면 부동산을 소유하려는 고가 주택 수요가 굉장히 줄어들기 때문입니다. 즉, 상승을 이끄는 고가 아파트의 가격을 억제하는 효과가 생기기 때문에, 이를 통해 전체적인 가격 상승을 억제할 수 있습니다. 하지만 이마저도 효과는 일시적입니다. 결국, 돈은 중저가 아파트로 흐르고 중저가 아파트의 상승은 고가 아파트를 밀어 올릴 수밖에 없습니다.

이와 같이 보유세 증가가 시장에 효과를 일으키기 위한 4가지 방법을 살펴봤습니다. 공통점이 보이시나요? 결국은 공급이 늘면 해결될 문제들입니다. 즉, 보유세가 증가되더라도 시장에 효과가 나타나려면 공급이 늘어야 합니다. 따라서 공급이 충분하지 않은 이상 모든 규제는 일시적일 수밖에 없습니다. 반대로 공급이 충분하다면 보유세 증가 정책은 하락 폭을 더욱 키워서 정부가 의도한 대로 흘러갈 것입니다.

부동산 규제 대책 정리하기

① 민간등록임대주택사업자

등록임대주택사업자 혜택을 주든, 등록임대주택 제도를 폐지하든 부동산 시장을 하락 흐름으로 전환할 수 없습니다. 마치 이런 것입니다. 주택은 10개뿐이 없는데 8개가 매매가 가능한 주택이고 2개가 임차만 가능한 주택이면, 전월세 가격이 증가할 것입니다. 만약 매매가

가능한 주택 8개 중 6개를 임차만 가능한 주택으로 변경하면 이번엔 매매가격이 올라갈 수 있습니다.

즉, 이율배반 관계처럼 등록임대주택사업자에 세금 혜택을 주면 등록임대주택사업자가 늘어나 매매 가능한 주택이 줄어들면서 매매가격이 올라갈 것입니다. 반대로 등록임대주택사업자를 폐지하면 시중에 전월세 물건이 줄어들면서 전월세 가격이 상승하게 됩니다.

결국, 절대적인 공급량이 늘어나야 시장을 안정시킬 수 있습니다. 공급량이 늘어난 상황에서 등록임대주택사업자 혜택을 준다면 시장의 안정화가 더 빠르게 이뤄질 것입니다.

② 계약갱신청구권과 전월세 상한제

계약갱신청구권으로 임대차 기간이 계약갱신에 따라 2년 추가될 수 있어, 최대 4년까지 전월세 거주가 가능해졌습니다. 또한, 전월세 상한제로 5% 이상 전월세를 올릴 수 없습니다.

이번에도 지겨우시겠지만 본질을 짚고 넘어가야 합니다. 공급량 부족이 계속되고 있으며, 이렇게 공급량 부족이 계속되면 매매값, 전셋값 상승도 계속된다는 것입니다.

만약 시장에 공급량이 넘쳐나는 상황이었다면, 계약갱신청구권과 전월세 상한제는 시장을 더욱 안정화하는 제도가 될 수 있습니다. 하지만 공급량이 부족하여 상승 흐름이 지속되는 시기에 계약갱신청구권과 전월세 상한제 실시는 오히려 부작용을 만들 위험이 있습니다.

대표적인 부작용은 2가지가 있습니다.

첫째, 계약갱신청구권으로 시중에 전세 유통 물량이 절반으로 줄어들게 됩니다. 동일하게 수요도 절반으로 줄어든다면 문제는 없을 겁니다. 그런데 결혼하려는 세대와 독립하려는 세대가 갑자기 절반으로 줄어들까요? 절대 그렇지 않습니다. 즉, 시장에 유통되는 전월세 물량은 절반으로 줄어들지만, 신규 수요는 그대로인 상태가 펼쳐집니다. 이것이 수요·공급의 균형을 크게 무너뜨리는 핵심 요인이 됩니다.

둘째, 상승 흐름이 전망되는 만큼, 2년 후 올라갈 전셋값을 현시점에 올려버리는 효과를 불러옵니다. 즉, 지금의 전셋값에 적어도 4년간 상승할 가격이 반영되면서 전셋값이 급등하게 됩니다. 그나마 신규 공급이 많다면 전세 공급이 원활하겠지만, 공급 물량은 급격히 줄어들고 있습니다. 추가로 실거주 의무 규제가 강화되면서 입주 아파트를 통해 유통될 수 있는 전세 물건이 급감하고, 이에 따른 전월세 공급 효과 또한 줄어들고 있습니다.

예전에는 2,000~4,000세대 정도의 대단지 입주가 있는 시기에 전세가격이 크게 조정받는 경우가 대부분이었지만, 최근엔 이례적이라 할 만큼 대단지 입주에도 전세가격이 조정받지 않는 상황이 펼쳐지고 있습니다. 저렴하게 전세를 맞추느니, 차라리 집을 비워놓는 사람들도 많아지고 있습니다. 당연한 일입니다.

이러한 상황을 종합해볼 때, 계약갱신청구권과 전월세 상한제는 오히려 전셋값을 급등시키는 원인이 된다고 말할 수 있습니다. **따라서 충분한 공급이 없는 상태에서 계약갱신청구권과 전월세 상한제가 유지된다면 전세가가 상승하면서 매매가의 하방을 강력하게 다져서 오히려 부동산 시장의 하락을 막아주는 제도가 될 것입니다.**

그렇다면 어떻게 하면 임대차2법이 시장에 조금 더 좋은 영향력을 줄 수 있을까요? 단순합니다. 계약갱신청구권을 허락하되 전월세 상한제의 폭을 높여주는 것입니다. 현재의 5%가 아닌 10~15% 정도로 했더라면 지금처럼 전세가격 상승 문제, 그리고 임대인과 임차인 간의 갈등 심화 같은 문제가 조금은 줄어들었을 것입니다.

③ 주택담보대출 규제로 인한 부동산 시장 상승

주택 시장에서 유동성은 풍선 속 공기라고 보시면 됩니다. 유동성 확장 시기는 풍선에 바람을 계속 불어넣어주고 있는 셈이죠. 여기서 2019년 12·16 부동산 대책에서 발표한 '15억 이상 아파트 매입 시 주택담보대출 전면 금지'라는 규제는 풍선의 한쪽을 누르는 효과를 불러왔습니다. 즉, 15억 이하 아파트로 유동성이 모두 쏠린 것이죠.

간혹 15억 이상 주택담보대출 규제를 풍선에서 바람을 빼는 것이라 착각하는 사람들이 있는데, 이는 잘못된 생각입니다. 풍선에서 바람을 빼는 건 '기존 15억 이상 아파트를 매수하기 위해 대출을 받은 세대에서 대출을 회수하는 것' 같은 겁니다. **대출을 회수한다면 풍선에서 바람을 빼는 것이며, 이는 부동산 시장의 유동성을 축소시켜 부동산 시장 상**

승에 무조건 큰 악영향을 주게 됩니다.

과거를 복기해보겠습니다.

15억 이상 대출 금지라는 규제 초기에는 15억 주택들이 조정을 받습니다. 그 시장에서만큼은 유동성이 줄어들기 때문이죠. 그러나 전체적인 유동성이 빠진 것은 아니므로 규제가 없는 15억 미만 주택 시장으로 유동성이 흘러갑니다. 그래서 15억 이상 고가 아파트 조정과 동시에 15억 미만 아파트의 상승장이 만들어집니다. 그 결과 9억 아파트가 15억이 됩니다. 그러면 무슨 일이 벌어질까요?

입지가 우수한 대출 금지 아파트와 이보다 입지가 좋지 못한 아파트 가격이 비슷해지는 현상이 일어납니다. 그러면 15억으로 집값이 오른 사람은 아파트를 매도하고 본인의 목돈을 조금 추가해 입지가 좋은 대출 금지 고가 아파트를 매수합니다. 그러면 자연스럽게 고가 아파트로 유동성이 쏠리면서 아파트 가격은 20억을 향해 나아갑니다. **결국, 유동성이 줄어들지 않기 때문에 순서의 차이일 뿐 전체 아파트 가격이 모두 상승하게 됩니다. 물론 대출 규제가 없는 것보다 있는 상황이면 가격 상승 속도를 줄일 수는 있을 겁니다.**

과거를 복기한 만큼, 앞으로 투자를 할 때 대출 규제가 나온다면 투자 순서를 이제 파악하실 수 있을 것입니다. 투자자 입장에서 대출 규제는 투자 방향을 알려주는 기준이 될 수 있다고 생각하면 됩니다.

④ 규제지역 확대

규제지역 확대도 대출 규제와 동일하게 투자지역을 알려주는 기준이 될 수 있습니다. 대출 규제가 가격을 기준으로 대출에 제한을 두는 것이라면, 규제지역 확대는 지역을 기준으로 대출 총량인 LTV를 다르게 한 것입니다.

어느 지역이 규제지역으로 선정되면 어떠한 일이 일어날까요? 규제가 덜하거나(예를 들어 조정대상지역) 규제가 없는 비규제지역으로 유동성이 쏠립니다. 마치 풍선의 한쪽을 누르면 다른 쪽이 부풀어 오르

● **수도권 내 조정대상지역·투기과열지구(2020.6.19 적용)**

■ 투기과열지구
■ 조정대상지역

자료 · 국토교통부

는 것과 같습니다. 앞서 언급했듯이 풍선의 공기를 빼지 않는 이상 풍선 효과는 발생할 수밖에 없습니다. 그렇다면 규제지역을 확대하면서 풍선의 공기를 빼는 효과를 얻을 수 있는 방법은 무엇일까요?

정답은 공급을 늘리는 것입니다. 공급을 늘리면 분양 계약금, 중도금 잔금의 형태로 돈이 건설사로 빠져나가게 됩니다. 결국 다른 풍선이 생기면서, 가득 찬 풍선의 공기가 다른 풍선으로 옮겨가는 형태가 만들어질 것입니다.

그렇다면 공급이 충분하지 않은 상태에서 규제지역 확대 시 풍선 효과를 그나마 줄이는 방법은 무엇일까요? 바로, 전국을 규제지역으로 묶는 것입니다. 그렇다면 규제지역이 아닌 곳으로 유동성(투자자들의 돈)이 몰리는 것을 막을 수 있어 좀 더 안정적일 수 있습니다.

이번과 같이 순차적으로 규제지역을 규정한다면 투자자들은 이에 한발 앞서 선진입하면서 투자하게 됩니다. 즉, 방향성이 굉장히 명확해지면서 오히려 투자하기가 매우 수월한 상황이 펼쳐진 것입니다. 풍선 효과가 계속 발생하기 때문에 결국엔 전국이 규제지역으로 묶일 수 있고, 그러다가 그 안에서 또 투기과열지구, 조정대상지역으로 분류되면서 대출 규모가 달라질 수 있습니다. 그러면 풍선 효과가 또 발생할 수밖에 없겠죠.

⑤ 결론

이렇게 보시니 어떻습니까? 또 같은 말을 반복하지만 결국 부동산 시장이란 규제로 가격을 잡을 수 있는 구조가 아닙니다. 본질인 충분한 공급이 누적되기 전까진 상승 흐름을 꺾는 건 불가능합니다.

결국, 대출 규제와 규제지역 추가에 대하여 깊이 있게 파고들다보면 모든 건 공급에 달려 있다는 본질에 다시 한번 도달하게 됩니다. 웬만한 주제를 파고들면 모두 같은 결론에 도달하죠.

다시 말하지만, 부동산 공부는 본질에 확신을 가지는 과정이라 말할 수 있습니다. 이를 알게 되면 어떤 상황에도 본인 스스로 판단을 내릴 수 있을 겁니다.

공급에 관한 정부 정책 분석법

공급에 관한 정부 정책은 다음과 같은 단계로 분석할 수 있습니다.

> ① 공급 물량 시나리오 작성
> ② 시나리오 구체화 및 수정

첫째, 공급 물량 시나리오를 작성해야 합니다. 3기 신도시 30만 호 공급 예정을 예로 들어보겠습니다. 이러한 정부 발표가 나오면 어느 기간에 공급할 예정인지 꼼꼼히 확인합니다. 그런 다음 나만의 수치화된 공급 물량 시나리오를 작성합니다.

둘째, 구체화된 시나리오대로 실제 진행되는지를 확인합니다. 변경사항이 있다면 그때마다 시나리오를 수정하면 됩니다. 발표 내용에 구체적이지 않은 부분도 있을 수 있으므로, 시나리오 구체화 작업은 꾸준히 진행해야 합니다.

예를 들어 2024년 공급 예정이라면, 공급 물량 시나리오에 이를 기입하고 각종 정부 발표와 기사를 확인하며 구체화 시점을 파악해야 합니다. 공급 시나리오에 3기 신도시의 일반분양 최초 시점을 2023년도 4분기로 잡아놨다고 가정해봅시다. 이때 2021년 6월 인천계양신도시 지구계획 확정 기사를 통해 진행 상황을 확인했다면, 공급 물량 시나리오에 3기 신도시 일반분양 시점을 2024년 4분기로 조정하면 됩니다. 물론 예시에 불과하지만 이런 식으로 만들어진 공급 물량 시나리오에서 실제 공급 시기를 구체화해나가는 작업이 필요합니다.

또한, 정부의 공급 발표 내용에서 입주 기준인지 분양 기준인지도 확인해야 합니다. 최근 정부 정책 발표에서 분양도 공급 물량으로 포함되는 사례가 있습니다. **이렇게 명확하지 않은 공급 계획의 경우는 그 사업성을 분석할 필요가 있습니다. 또 이것이 계획대로 잘 될 수 있는지를 꼭 확인하기 바랍니다.** 예를 들어, 공공 재건축 용적률을 높여서 사업성이 좋아지겠지만 그만큼 임대주택이 늘어난다면 조합원들이 이런 사업에 동의할지에 대해서 생각해볼 필요가 있습니다.

경제와 부동산의 관계

—— 05 ——

저금리가 부동산 시장에 미치는 영향

2020년 6월 한국은행이 기준금리를 사상 최저인 0.5%로 인하하였습니다. 그렇다면 금리 인하가 부동산 시장에 어떤 영향을 줄지 살펴보겠습니다.

먼저 금리가 상승하거나 하락할 때 현재 기준금리가 얼마냐에 따라 차이가 큽니다. 여기서는 가산금리를 생각하지 않고 기준금리로만 말씀드리겠습니다(가산금리를 고려하면 영향력이 완화됩니다).

예를 들어, 기준금리가 5%에서 4.75%로 0.25% 인하했다고 해보겠습니다. 실거주 측면에서 전체 대출 이자 비용은 5%(4.75÷5×100) 줄어듭니다. 하지만 기준금리가 1%에서 0.75%로 0.25% 줄어들면 이자 비용이 25%(0.75÷1×100) 감소하는 효과가 있습니다. 그만큼 현재처럼 기준금리가 낮은 상태에서의 금리 상승·하락은 시장에 더 큰 영향을 주게 됩니다.

그렇다면 낮아진 금리가 주택 시장에는 어떤 영향을 줄까요?

첫째, 이자 비용이 급격히 감소하여 대출 총량이 늘어나게 됩니다. 이를 유동성이 늘어난다고 말합니다. 주택담보대출에서는 LTV 규제가 강하기 때문에 실제로 주택담보대출로 늘어나는 유동성은 심각한 상태는 아닙니다. 투기과열지구의 15억 미만 아파트를 매수할 때 9억 이하분에 대해서 40%, 9억 초과 15억 이하분에 대해서 20% 총 4억 8천만 원의 대출밖에 안나옵니다. 그만큼 LTV로 주택담보대출에 대한 유동성은 잘 규제되고 있는 것으로 보입니다. **문제는 전세자금대출입니다. 현재 전세자금대출 규제는 없고, 저금리로 최대 5억까지 대출이 가능하므로, 유동성이 규제 없이 전세자금대출을 통해 무차별하게 주택 시장으로 유입되는 것이 큰 문제입니다.**

물론 주택 시장을 상승시키는 본질이 유동성인 것은 아닙니다. 몇 번 말했지만, 본질은 언제나 공급량입니다. 즉, 공급량 부족으로 전세가도 상승 흐름 상태에서 저금리 전세자금대출이 전셋값의 상승에 불을 지핀 것입니다.

공급 부족이라는 본질적 문제와 임대차2법, 다주택 보유세 증가, 등록임대주택 제도 폐지 등 각종 규제로 전셋값이 급격히 상승하고 있지만, 이 가격에도 전세 임차인들이 들어올 수 있는 이유는 전세자금대출이 있기 때문입니다. 정리하면 현 저금리 유동성이 전세자금대출을 통해 부동산 시장으로 무차별하게 흘러 들어오고 있으며, 그 결과 전세가의 급격한 상승으로 부동산 하방 경직성을 더 키워 매매가의 하락을 방어하게 된 것입니다.

둘째, 주택담보대출에도 영향을 줍니다. 저금리는 과거보다 주택을 매매하여 실거주하는 데 드는 비용이 굉장히 줄어들게 만듭니다. 실거주 비용이 줄어드는 경우에도 부동산 하방 경직성이 강해집니다. 저금리 기조만 유지된다면 하락 흐름이 오더라도 거주 비용에 부담이 없으니 전세로 돌아서는 사람이 줄어들기 때문입니다.

하락 흐름에 매도하고 전세로 갈아타는 이유는 매매가가 떨어지는 참혹한 상황에서 보유한 주택을 매도하고 전세로 변경하여 실거주 비용을 적게 하기 위함입니다. 예를 들어, 10억짜리 주택에 6억 대출을 끼고 거주할 때와 해당 주택을 전세 5억으로 거주하며 그중 4억을 대출한 때를 가정하여 비교해봅시다. 금리 이율이 5%라면 자가와 전세 이자 비용, 즉 실거주 비용 차이는 2억×5%가 됩니다. 즉, 한 달에 약 83만 원의 대출 이자 비용 차이가 발생합니다.

그런데 이율이 0.5%라면 이자 비용 차이는 8만 3천 원으로 줄어듭니다. 단순한 예시지만, 그만큼 저금리 상태라면 이자 비용 차이가 줄어들어 하락 흐름이 와도 자가를 매도하여 전세로 갈아타는 사람이 금리가 높을 때보다 훨씬 감소하는 것입니다. 이런 이유로 저금리는 하방 경직성을 강하게 만드는 역할을 합니다.

금리 상승에 대해서 살펴보겠습니다. 먼저 공급이 충분히 지속적으로 이루어지는 시기에 금리가 상승한다면 부동산 시장의 하락 폭은 증가할 것입니다. 시장의 반응은 전세가에서부터 나타날 것입니다. 충분한 공급으로 전세가격이 떨어지는 본질적인 문제에 금리까지 상승하면, 지금같이 확대된 전세자금대출부터 이자 부담으로 자연스럽게 축소되고 전세가도 상상 이상으로 급격히 떨어질 것입니다. 이 부분은 누구나 예상하리라 생각합니다.

문제는 최소 2023년까지 공급이 부족한 현재와 같은 상황에서 금리가 상승한다면 어떻게 될 것인가입니다. 결국, 공급 부족과 각종 규제로 인한 전세가의 본질적 상승 압력과 금리 상승에 의한 전세가 하락의 힘겨루기가 될 것입니다. 이 힘겨루기의 핵심은 금리가 얼마나 급격하게 상승하냐입니다. 저만의 방법으로 계산해보았을 때 1년 기준 1.5% 이상 기준금리가 급격하게 상승한다면 이 힘겨루기에서 전세가 하락 가능성이 있습니다. 하지만 그 이하 수준의 금리 상승은 조정 장세를 만들 뿐 전세가를 하락 흐름으로 전환하기는 어려워 보입니다.

반대로 지금같이 저금리 상태가 계속 유지된다면 어떻게 될까요? 이자 비용 측면에서 자가 거주에 부담이 없기 때문에 전세로 갈아타는 수요가 줄어들 것입니다. 그 결과 매매가·전세가의 갭이 줄어들지 않는 현상이 만들어질 수 있습니다. 즉, 갭 차이가 줄어들지 않으니 점점 더 갭투자 기회는 사라지게 됩니다. 이미 이런 현상은 지방에서 나타나고 있습니다. 장기간 저금리가 유지된다면 소액으로 갭투자하기 어려운 시기가 계속될 것입니다.

금리 변동과 주택매매가격 비교

이번에는 금리변동과 주택매매가격을 비교해보려 합니다. 다음은 15년간 금리 변동과 서울·경기 지역 매매가격지수 변동을 비교한 그래프입니다.

대부분의 사람은 금리가 내려가면 유동성이 늘어나 주택 가격이 상승하고, 금리가 상승하면 유동성이 축소돼 주택 가격이 하락한다고 알고 있습니다. 하지만 저는 시종일관 금리는 촉매일 뿐, 주택 시장의 방향을 결정하는 본질은 공급이라고 말하고 있습니다.

위 그래프의 ①, ⑦ 구간을 보시기 바랍니다. 금리가 상승하고 있는데 아파트 가격도 같이 상승하고 있습니다. ⑤ 구간에서도 금리는 내려가고 있지만, 아파트 가격도 함께 내려가고 있습니다. 이것만 보더라도 대부분 사람이 옳다고 여기는 내용이 틀린 걸 알 수 있습니다.

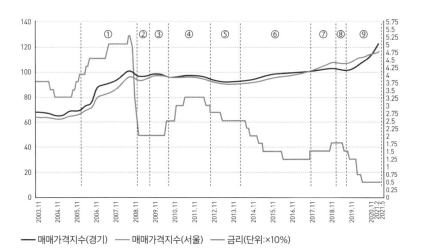

매매가격지수(경기) ── 매매가격지수(서울) ── 금리(단위:×10%)

2009년 금융 위기와 2020년 코로나 비교

2020년 코로나19 사태와 2009년 세계 금융 위기를 비교함으로써 주택 시장 흐름을 결정짓는 본질은 경제 위기가 아닌 '지속적 과공급 누적'이 라는 사실을 명백히 알 수 있습니다.

두 시기 모두 세계적인 경제 위기였지만 2009년에는 세계 금융 위기 이후 하락 흐름으로 전환됐고, 코로나19 이후에는 상승 흐름을 유지했습니다. 물론 두 시기 모두 양적 완화로 유동성이 증가한 시기였지만, 이 책에서 앞서 수차례 유동성이 부동산 시장의 흐름을 결정하진 못한다고 설명한 바 있습니다.

2009년과 2020년은 유사점도 있지만, 부동산의 본질적인 측면에서 봤을 땐 2가지 중요한 차이점이 있습니다.

첫째, 미분양 수치입니다. 2007년 중후반부터 수도권 아파트 시장에서는 미분양이 급격하게 증가하기 시작합니다. 즉, 부동산 시장의 흐름을 좌지우지하는 본질인 지속적 과공급 누적으로 수요 대비 공급이 오랜 기간 늘어나자 미분양이 급격히 증가했습니다.

하지만 2020년은 2008년과 방향성이 상당히 다른 상태입니다. 오히려 공급이 굉장히 줄고 있고 미분양은 최저점을 기록하고 있습니다. 당분간 미분양이 증가하여 임계점 이상으로 오르는 건 불가능한 상황입니다. 즉, 부동산 시장의 본질인 공급량이 매우 적은 시기이고, 한동안 부족 상태가 계속될 거라는 점이 2008년과는 상당히 다른 부분입니다.

● 서울 지역 아파트 미분양 추이(2003년 2월~2019년 2월)

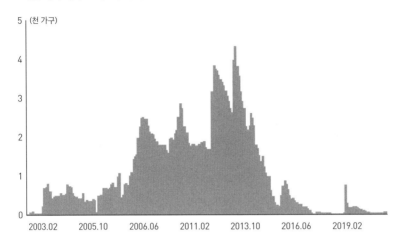

자료 · 아실

● 경기 지역 아파트 미분양 추이(2003년 2월~2020년 8월)

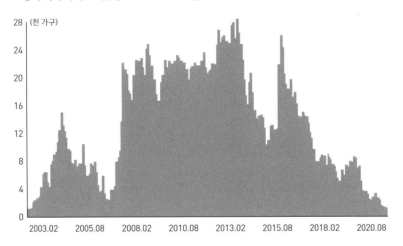

자료 · 아실

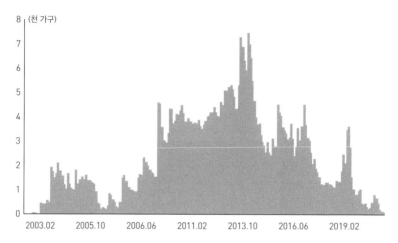

자료 · 아실

● 한국 금리 추이

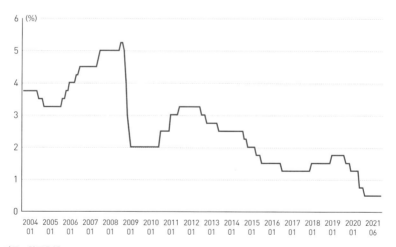

자료 · 한국은행

둘째, 금리입니다. 2005~2008년까지 급격한 금리 상승이 있었습니다. 3% 중반에서 시작한 금리가 5%를 넘어섰죠. 공급 물량이 많은 상태에서 금리 인상까지 겹치면서 부동산 시장이 하락 흐름으로 전환되는 건 물론이며, 큰 폭의 하락이 만들어졌습니다.

중요 지표에 대한 추가 설명

06

미분양 수치와 인허가 실적

먼저 미분양 발생 시점을 아는 것이 중요합니다. 의미 있는 미분양은 상승기 후반, 특히 후반 중에서도 최후에 발생합니다. 즉, 부동산 사이클에서 설명했듯이 상승기가 시작되면 미분양 리스크가 줄어들고, 일반 분양가도 높일 수 있기 때문에 건설사에서 과도한 분양 물량을 쏟아내기 시작합니다. 약 3년 후부터 공급이 늘어나기 시작하여 어느 순간 누적 공급량이 많아지면 수요를 넘어서 미분양이 과도하게 발생하게 됩니다. 이렇게 의미 있는 미분양은 부동산 상승기 끝에 나타나기 때문에 하락 신호를 알 수 있는 지표라 할 수 있죠.

여기서 '의미 있는 미분양'의 정의를 잘 짚고 넘어가야 합니다. 제가 정의하고 있는 '의미 있는 미분양'이란 한계 수치를 넘어간 미분양을 말합니다. 예를 들면 수도권의 경우 미분양 수가 2만 호를 넘어가면 그때부턴 명확히 과공급에 의한 하락 흐름 전환으로 볼 수 있습니다.

하지만, 일시적인 과공급으로 미분양 한계 수치 이하에서 순간적으로 미분양이 상승하는 데는 의미를 부여하지 않습니다. 물론 몇몇 기사에서 미분양 증가로 시장이 위험할 수 있다고 말할 수 있습니다. 그러나 미분양 발생 이후에도 계속 공급이 이어지지 않는다면 시간이 지나면서 미분양은 해소됩니다. 그리고 공급이 지속되더라도 미분양 한계 수치 이하에서는 부동산 흐름의 변곡점을 만들지 못합니다.

반대로 미분양이 한계 수치 이상에서 이하로 줄어들 때도 무조건 매수 타이밍이 아닙니다. 여기서도 가장 중요한 건 미분양이 한계 수치 이하로 내려간 상태이더라도 앞으로 공급 물량을 확인하는 것입니

● **수도권 미분양·매매가격지수(2003~2019년)**

― 매매가격지수 ― 미분양

다. 공급 물량이 꾸준히 적정 이하로 유지된다면 좋은 매수 타이밍입니다. 또한 미분양 데이터 분석 결과, 수도권의 경우 미분양 물량이 5천 호 이하로 떨어지면 매매가격 급등 구간이 나타납니다.

결국, 공급을 파악하면 미분양 수치로 하락 흐름에서 상승 흐름 전환점을 찾아내는 것도 가능합니다. 그만큼 공급이 시장 분석의 본질이자 핵심이라는 점을 다시 한번 강조하고 넘어가겠습니다.

한편, 인허가 실적은 주택 시장 미래 공급을 가장 빨리 확인할 수 있는 지표입니다. 인허가 물량이 많다면 몇 년 뒤 공급이 많아진다는 것을 알 수 있습니다. 따라서 틈틈이 인허가 물량을 확인한다면 향후 공급 물량을 대략 예측할 수 있습니다. 하지만 서울과 수도권의 인허가 물량을 해석하는 데는 약간의 차이가 존재합니다.

택지가 없는 서울의 경우 대부분 공급은 재건축·재개발로 이루어집니다. 사업 특성상 재건축·재개발은 인허가 이후 공급으로 이어지는 데 대략 5년 이상이라는 시간이 소요됩니다(사업장마다 상이함). 반면, 수도권의 경우 아직 택지를 통한 공급이 많아서 인허가 후 3~4년이면 공급으로 이어집니다. 또한, 서울의 경우 인허가 대부분이 재건축·재개발로 이는 멸실을 동반하기 때문에, 공급이 축소된다는 점도 함께 기억하시기 바랍니다.

그밖에 알아두면 좋을 투자 요인

07

부동산 투자에서 '호재'의 의미

호재의 의미에 대해서 명확하게 생각해볼 필요가 있습니다. 투자 상담을 해보면 많은 초보 투자자가 투자 이유로 신규 지하철, ○○호선 연장, 일자리 증가 등의 호재를 꼽습니다. 물론 맞는 말입니다.

하지만 과연 호재가 가격 상승의 본질일까요? 호재가 상승 원인이라면 부동산 하락 흐름에서 호재가 있는 아파트는 가격이 떨어지면 안 됩니다. 하지만 하락 흐름에서는 그 어떤 호재가 있더라도 가격은 처참하게 떨어지게 됩니다.

이런 말을 전하는 이유는 투자의 제1원칙은 상승 흐름에 하는 것이기 때문입니다. 즉, 시장의 본질로 투자를 결정해야 합니다. 그다음 투자처를 고를 때 호재가 있다면 좋은 것일 뿐입니다. 호재가 투자 선택의 1순위가 되어서는 절대 안 됩니다.

또한, 호재의 실현 가능성을 예측하는 건 정말 어렵습니다. 물론 현재는 국토교통부, 지방자치단체, 공사의 공시·회의자료·용역발주 등 다양한 자료를 통해 가능성이 큰 사업을 알 순 있습니다. 이런 기술까지 갖추고 있다면 이를 투자에 접목하는 것일 뿐, 투자 시점의 본질은 호재가 아닌 흐름이라는 점을 명심하시기 바랍니다.

'광역교통 2030'으로 보는 미래 교통 지형

2019년 10월 31일 국토교통부에서 발표한 '광역교통 2030'의 내용을 분석해보겠습니다.

광역교통 2030은 '대도시권 광역교통망 철도 중심으로 재편'이라는 캐치프레이즈를 내세우며 향후 10년간 대도시권 광역교통 정책 방향을 다루었습니다. 광역교통 2030의 3대 목표는 다음과 같습니다.

① 광역거점 간 통행시간 30분대로 단축
② 통행비용 최대 30% 절감
③ 환승 시간 30% 감소

그리고 목표 달성을 위해 다음과 같은 방안을 제시하고 있습니다.

① 세계적 수준의 급행 광역교통망 구축

② 버스·환승 편의 증진 및 공공성 강화

③ 광역교통 운영 관리 제도 혁신

④ 혼잡·공해 걱정 없는 미래교통 구현의 4대 중점 과제와 대도시권 권역별 광역교통 구상

목표 달성을 위해 제시한 4가지 모두 중요한 내용입니다. 그중 '①
세계적 수준의 급행 광역교통망 구축'이 국토교통부의 제1목표라고
할 수 있습니다. 그만큼 GTX(급행광역교통망) 관련 사업은 이번 정권 내
내 이슈가 될 것이고 사업을 최대한 빠르게 진행하려고 할 겁니다. ②,
③의 내용 또한 ①을 위한 내용입니다.

그렇다면 왜 급행광역교통망을 구축하려고 하는지를 먼저 알아야 합니다.
여러 가지 이유가 있겠지만, 핵심은 서울 접근성을 획기적으로 증대시켜 서
울 수요를 서울 외 수도권으로 분산시켜 국토 균형 발전을 꾀하는 것이 현 정
부의 목적이기 때문입니다.

그래서 광역교통 2030 보도자료 첫 부분에 '광역 거점 간 통행시간
30분대로 단축'이 등장하는 것입니다. 여기서 광역 거점은 바로 GTX-
A·B·C 정차역이 될 것입니다. GTX-A와 신안산선의 경우 계획대로 차
질없이 준공하겠다는 정부의 의지가 보입니다. 2018년 10월 발표한
광역교통 2030에서도 이를 알 수 있습니다. 현재 이미 GTX-A는 착공
에 들어갔습니다.

● 광역급행철도 수혜 범위

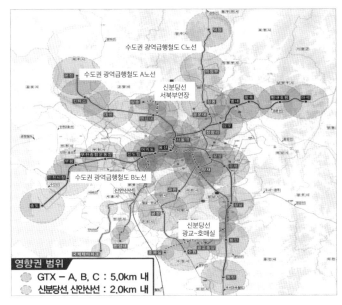

자료 · 국토교통부

● 수도권 교통축별 환승센터 기본구상

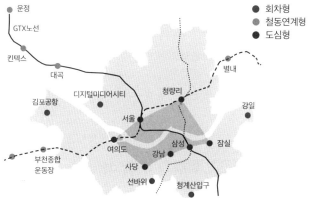

자료 · 국토교통부

또한 광역교통 2030에 따르면, 수도권 인구의 77%가 급행철도의 수혜지역에 해당할 것이라고 합니다. 그 말은 GTX 역사를 복합환승센터급으로 개발하여 주변 일대 사람들이 모두 이용할 수 있게 개발하겠다는 뜻입니다. 이미 2019년 10월에 이걸 본 투자자라면 GTX역 인근이 앞으로 굉장히 발전하리라는 사실을 알았을 것입니다.

보도자료에는 급행철도 수혜범위가 GTX-A·B·C 노선과 신안산선 주변 반경으로 표시되어 있습니다. 거점지역은 GTX 역사를 중심으로 하며 주변 반경 지역은 트램, 버스와 같은 교통수단으로 연결할 예정입니다. 위의 지도처럼 수도권 교통축별 환승센터를 도심형(삼성역 등), 회차형(청계산입구역 등), 철도연계형(킨텍스역 등)을 통해 어떻게 구상할지도 엿볼 수 있습니다.

광역교통 2030을 살펴보다 보면, 국토교통부에서 미래의 투자처를 알려주는 것처럼 보이기도 합니다. 이러한 자료를 정확히 분석했음에도 거점지역 투자를 안 했다면 지금 땅을 치고 후회하고 있을 겁니다. **국토교통부의 교통 관련 고시자료는 한국 교통의 판도를 결정할 만큼 중요한 내용이니 반드시 국토교통부의 방향을 알 정도로 반복하여 읽고 분석할 필요가 있습니다.**

일산·광명 테크노밸리가 끼칠 파급력

저는 테크노밸리(일산·광명)를 주의 깊게 지켜보고 있습니다. 사업이 계

확대로 진행되는지, 또 기업 유치를 위해 어떤 활동이 진행되는지도 꼼꼼히 체크하고 있습니다. 일산·광명 테크노밸리가 앞으로 투자의 핵심이 될 것으로 내다보고 있기 때문입니다. 우리는 이미 판교 테크노밸리를 통해 테크노밸리가 제대로 조성되었을 때 주변 일대 부동산에 미치는 파급력을 목격한 바 있습니다. 그러므로 일산·광명 테크노밸리에서도 이러한 파급력이 발생하리라 예상할 수 있습니다.

물론 판교 테크노밸리처럼 기업 유치에 성공하여 계속 확장되는 건 어렵다고 생각합니다. 하지만 선진국들은 이미 각각의 테마를 중심으로 대규모 테크노밸리를 성공시켜 큰 시너지 효과를 끌어냈고, 이러한 테크노밸리는 현재 경제에 중요한 역할을 하고 있습니다. 미국에서도 실리콘 밸리 등 선진 성공 사례가 많습니다.

그런 의미에서 앞으로 대규모 테크노밸리를 조성하여 테마별로 관련 기업들을 한데 모아 시너지를 만드는 것은 앞으로 한국 경제 발전에 큰 역할을 할 것으로 보입니다. 판교 테크노밸리 성공 이후 대규모 정부 계획하에 진행되는 일산·광명 테크노밸리를 성공시키지 못한다면 앞으로 한국에 테크노밸리는 없을 수도 있습니다.

이런 관점에서 지금은 대부분 사람이 부정적인 시각으로 보고 있지만, 일산·광명 테크노밸리는 상당히 중요하며 성공 가능성이 큰 사업이라 생각합니다. 다수가 부정적으로 볼 때 기회를 찾아내는 게 투자자로서 중요한 덕목이 아닐까요?

KTX가 정차하면 가격이 모두 오를까?

KTX가 지나가는 역이 모두 좋아진다고 넘겨짚으면 안 됩니다. 정확히 이야기하자면, KTX 역사 중 '복합환승센터' 역할을 하는 곳만 개발 호재와 함께 집값 상승이 가능합니다. 대표적으로 광명역, 수서역 등입니다. 단순히 KTX가 정차하는 역이라는 사실은 가격에 그리 큰 영향을 주지 않습니다. 왜 그런 걸까요?

복합환승센터는 단순히 여러 노선을 환승하는 역할을 넘어서 '교통+상업+일자리+주거' 역할을 모두 수행하는 복합적인 개발 계획입니다. 따라서 복합환승센터로 개발되는 역사에는 교통뿐만 아니라 일자리와 함께 상업시설과 주거시설이 모두 들어오기 때문에 주변 일대에 획기적인 개발로 인한 급격한 변화가 일어납니다.

예를 들어 광명역의 경우 교통으로는 KTX, 1호선, 신안산선(착공)은 물론 월곶과 판교를 잇는 월판선이 예정되어 있습니다. 일자리로는 약 18개사의 중견기업이 들어와 있고, 광명테크노밸리도 예정되어 있습니다. 또한, 코스트코, 이케아와 같은 상업시설과 중앙대병원도 예정되어 있어 '교통+일자리+상업+주거'가 모두 집결되는 구조입니다.

따라서 KTX가 들어선다는 이유로 섣불리 투자에 나서지 말고, 개발 계획을 꼼꼼히 살펴야 합니다. 아래는 현재 진행중이거나 신규로 정해진 수도권 복합환승센터 사업 내용입니다. 투자에 참고하시면 좋겠습니다.

● 수도권 복합환승센터 지정역

구분		사업명	기능	사업비(억 원)
신규	1	청량리역 환승센터	일반	1,699
	2	서울역 환승센터	일반	1,294
	3	양재역 환승센터	일반	468
	4	상봉역 복합환승센터	복합	305
	5	여의도역 복합환승센터	복합	500
	6	창동역 복합환승센터	복합	722
	7	용인역 복합환승센터	복합	1,279
	8	운정역 환승센터	일반	1,457
	9	동탄역 환승센터	일반	651
	10	부천종합운동장역 환승센터	일반	1,250
	11	의정부역 환승센터	일반	365
	12	금정역 복합환승센터	복합	140
	13	덕정역 환승센터	일반	63
	14	대곡역 복합환승센터	복합	1,172
	15	부평역 환승센터	일반	129
	16	인천시청역 환승센터	일반	136
	17	인천대입구역 환승센터	일반	505
	18	초지역 환승센터	일반	402
	19	인덕원역 복합환승센터	복합	460
	20	구리역 환승센터	일반	131
	21	아주대삼거리역 환승센터	일반	113
	22	걸포북변역 복합환승센터	복합	1,700
계속	23	사당역 복합환승센터	복합	796
	24	병점역 환승센터	일반	150
	25	복정역 복합환승센터	복합	1,350
	26	지제역 복합환승센터	복합	1,138
	27	수원역 환승센터	일반	925
	28	김포공항역 복합환승센터	복합	480
	29	킨텍스역 복합환승센터	일반	350
	30	강일역 환승센터	일반	325
	31	삼성역 복합환승센터	복합	316
	32	검암역 복합환승센터	복합	390
합계				21,161

자료 · 국토교통부

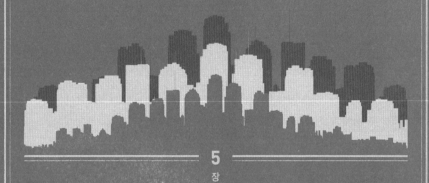

5
장

미래의 부동산 시장
내다보기

이 장에서는 앞서 설명한 내용들을 종합하여 부동산 시장 전망에 대해서 이야기하고자 합니다. 지금까지 제가 전한 내용을 잘 이해하셨다면, 부동산 시장의 본질이자 근원이 공급량이며, 이것이 부동산 시장 흐름의 방향을 결정짓는다는 건 이해하셨으리라 봅니다.

이번 정부에서는 재건축 아파트 2년 실거주 의무, 분양 아파트 실거주 의무화, 양도세 비과세 실거주 의무, 등록임대주택 제도 폐지, 다주택자 보유세 중과 등 실거주를 의무화하고 있습니다. 그리고 계약 갱신청구권 등의 정책들로 시중에 임대 물건이 빠르게 사라지고 있습니다.

전세가의 방향을 결정하는 본질은 아파트 공급량입니다. 모두 알다시피, 아파트 공급이 많아지면 전세 물건도 함께 늘어나 전세가격이 안정화됩니다. 반대로 공급이 부족하다면 당연히 전세가격은 올라가게 되어 있습니다.

또한, 투자에서 가장 중요한 건 상승 흐름에 투자하는 것입니다. 그리고 반드시 투자 시점에 현재 상승 흐름 중 어느 위치에 있는지를 파악하고, 2년 넘게 상승 흐름이 남아 있을 때만 투자해야 한다고도 설명하였습니다.

그렇다면 미래 전망은 어렵지 않습니다. 과공급 누적으로 미분양이 한계치를 넘기 전까진 정부 규제와 경제 위기가 오더라도 단지 조정을 받을 뿐, 시장 흐름의 방향이 변하진 않는다는 것입니다.

공급과 유통 물량의 미래

—— 01 ——

앞으로의 공급 물량

추후 수도권의 대표적인 공급 물량은 3기 신도시를 통한 공급, 2·4 대책에서 발표한 신규 택지 발굴을 통한 공급, 서울 역세권 개발, (공공) 재개발·재건축, (1기 신도시) 리모델링입니다. 한편, 멸실로 인한 공급 축소도 염두에 두어야 합니다. 문제는 지속적인 과공급을 위한 토지는 3기 신도시가 유일하다는 것입니다. 즉, 단기간에 지속적인 과공급은 절대 불가능합니다.

역세권 개발과 공공 재건축·재개발은 주민의 사업 동의는 뒤로하고 멸실을 동반한다는 큰 단점이 있기 때문에, 미래의 공급을 위해 현재 대규모 멸실로 인한 공급 부족이라는 고통을 감수해야 합니다. 하지만 현 부동산 시장에선 이런 고통을 감수할 수 있는 상황이 되지 못합니다.

그리고 재건축·재개발을 통한 대규모 공급 효과를 보려면 앞으로 최소한 5~7년 뒤를 생각해야 하며 길게는 8~10년 뒤에야 공급 효과가 나타난다고 봐도 무방합니다.

그렇다면 이번 부동산 시장의 핵심은 순수 물량인 택지를 통한 공급입니다. 문제는 택지 확보에 많은 잡음이 따른다는 것입니다. 당장 택지가 있어도 보통 2년 반 뒤에나 입주가 가능한데, 현재는 보유하고 있는 택지가 없습니다.

정부가 신속하게 진행한다고 해도 적어도 4~5년 뒤에야 최초 입주 가능할 것으로 보입니다. 그렇다면 2025~2026년은 되어야 신도시 최초 입주가 가능할 것입니다.

2021년부터 2025년까지의 부족분을 생각한다면, 2025년부터는 수도권 과공급 물량인 15만 호가 5년 이상 매년 꾸준히 공급되어야 합니다. 그러면 과공급의 누적으로 인한 미분양이 나올 것으로 보입니다. 만약 연간 25만 호씩 공급이 가능하다면 3년 이상 공급할 경우 미분양 누적이 가능할 것입니다. 그러나 부동산 시장의 역사를 되돌아볼 때 연간 25만 호가 공급된 사례는 없었습니다.

하지만 여기에 멸실 물량이 동반된다면 과공급에 의한 미분양이 쉽게 나오기 어려운 상황입니다. 따라서 2024~2025년까진 급격한 상승세는 아니지만, 계단식으로 꾸준히 상승 흐름이 지속될 것으로 보이며, 장기적으로는 2030년까지도 상승세를 유지할 가능성도 있어 보입니다.

유통 물량 시나리오

시장에 이미 존재하는 유통 물량을 재편하는 것도 하나의 방법입니다.

예를 들어 시장에 100개의 물건이 있다고 해보겠습니다. 50개가 매매 물량이고, 나머지 50개가 전월세 물량일 때가 가장 이상적인 상황으로 가정하겠습니다. 그런데 만약 매매 물량이 30개가 되고 전세 물량이 70개가 된다면 매매가격이 상승할 수밖에 없습니다. 반대로 매매 가능 물량이 70개이고, 전세 가능 물량이 30개라면 전세가격이 상승할 것입니다.

이를 해결하기 위해선 어떻게 해야 할까요?

본질적으로는 총 공급 숫자를 120개로 늘려주면 매매와 전월세 모두 안정시킬 수 있습니다. 하지만 현재로서는 물리적으로 불가능하니 수요에 따라 그 비율을 적정하게 나눠줄 때 그나마 아파트 시장 안정화에 도움이 됩니다. 그리고 2025년까지 꾸준한 상승이 이어질 것이니 매매 수요 역시 계속되리라 예상할 수 있습니다. 따라서 전월세만 가능한 물건을 매매 가능 물건으로 전환하는 정책을 펴는 게, 정부 입장에서 그나마 현 아파트 시장에 잠시라도 안정을 줄 수 있는 방법으로 보입니다.

매매 가능 유통 물량을 늘릴 수 있는 가장 효과적인 방법은 양도세 완화입니다. 전국의 유주택자 중 다수의 주택을 소유한 사람이 가장 많은 지역은 서울입니다. 하지만 양도세가 높아 퇴로가 막힌 상황이죠. 그러므로 양도세 완화 정책은 수도권에 가장 많은 매매 가능 물량을 유통

시킬 수 있는 방안입니다.

　동시에 전세의 유통 속도 또한 늘어난다면 시장은 훨씬 안정될 수 있습니다. **해결책은 계약갱신청구권을 폐지하여 시장에 전세 유통 물량을 일시적으로 늘리는 것입니다.** 이것이 불가능하다면 전월세 상한제를 5%에서 10~15%로 늘리는 방법도 있습니다.

　잠들어 있는 물량들이 출현할 수 있는 2가지 시나리오를 기억해두기 바랍니다. 또한, 장기간 시장이 더 상승한다면 앞서 말한 양도세 완화, 전월세 상한제 상한선 변경 같은 현실화되기 어려워 보이던 규제가 풀릴 가능성이 있습니다.

수요 변화의 흐름을 잡는 법

—— 02 ——

수요자에 대하여

현재 수요자는 대부분 무주택자입니다. 하지만 상승 초반에 전세가 상승으로 매매 수요로 전환하는 무주택자들과는 성질이 다릅니다. 단순히 실거주 비용으로 인해 전세에서 매매로 전환하는 무주택자들이 아닌, 화폐가치 하락과 자산 인플레이션 헷지(회피)를 위해 매매를 선택한 공격적인 실거주자들입니다. 이런 무주택 수요는 시장 상승 흐름이 지속되는 한 없어지지 않습니다.

결국, 아래에서부터 올린 가격이 그 위의 가격을 올리는 현상이 상승 기간 내내 반복될 것입니다. 따라서 너무 비싸다고 생각하더라도 시간이 지나면 가격이 더 올라와 있을 것입니다. 또한, 유통 물량이 많지 않고 호가가 올라가는 형세에선 거래량이 적더라도 꾸준히 신고가를 찍으며 올라가게 되어 있습니다.

이렇게 만들어진 신고가는 무주택 실거주자들이 주축이기 때문에 투자자들이 만든 가격보다 훨씬 단단합니다. 즉, 앞으로의 가격 상승은 상당히 단단하고 안정적일 것이며, 규제에도 무너지지 않고 횡보하다 다시 상승하는 흐름을 보일 것입니다.

김포의 조정대상지역 규제 이후 가격이 빠지지 않는 것을 떠올려보면 쉽게 알 수 있습니다. 그러므로 규제로 인한 가격 하락을 염려하기보단 과감하게 투자를 선택하는 것이 현재로서는 올바른 투자 방법입니다.

인구 감소가 미칠 영향

인구 감소는 분명 부동산 시장에 영향을 주는 요인입니다. 특히 장기 전망에는 꼭 고려해야 하는 지표입니다. 하지만 당장 몇 년 내에 부동산 시장에 영향을 주는 요인은 아닙니다. 아파트 시장에서 인구보다 더 중요한 지표는 세대수이기 때문입니다.

세대수는 통계상 2040~2043년경부터 줄어들게 됩니다. 앞으로 인구는 감소하지만 세대수는 한동안 증가하기 때문에 절대적 수요는 계속 증가할 것입니다. 따라서 정부에서는 지속적인 공급을 위해 택지를 확보해야 합니다. 문제는 세대수가 줄어드는 시점입니다. 그땐 수도권 외곽, 서울 낙후지역, 지방부터 도시의 슬럼화가 시작될 것입니다.

따라서 세대수 감소가 예상되는 2040년보다 5년 정도 앞서 2035년에는 서울, 경기도 핵심지, 지방 핵심지로 갈아타야 한다는 사실을 꼭 기억하기 바랍니다.

전세가와 금리에 대하여

전세가와 금리에 대해선 앞에서 자주 반복하여 설명했기에, 상세하게 이야기하지는 않겠습니다. 그럼에도 여기서 한 번 더 설명하는 이유는 이 2가지가 주택 시장을 전망할 때 항상 유념해야 할 지표이기 때문입니다.

전세가격의 본질은 공급이기 때문에 공급이 부족한 상황에서 전세가는 크게 흔들리지 않을 것입니다. 하지만 현재 전세가격은 레버리지로 만들어졌기 때문에 금리에 민감하게 반응할 수 있는 건 사실입니다.

금리의 방향은 아무도 알 수 없지만 인상될 경우를 생각해보겠습니다. 금리가 인상되면 전세대출이자 압박과 공급 부족 간의 대결이 펼쳐질 것입니다. 결론부터 말하자면, 저는 공급 부족의 압력이 더 커져서 전셋값이 떨어지기는 어렵다고 생각합니다. 절대적 공급이 부족할 뿐더러 금리가 인상되더라도 기준금리가 3~4%까지 올라가지 못할 것으로 내다보기 때문입니다. 올라봐야 기준금리 1.5~2% 정도라 생각하며 장기간 저금리를 대세로 보고 있습니다. 혹시나 금리가 급격하게 상승한다면 이건 다른 문제입니다(앞에서 여러 차례 말씀드렸습니다).

물론 기준금리가 오르면 주택 시장에 상당한 불안 요소가 되는 건 사실입니다. 하지만 적당한 금리 인상은 전세가격을 유지하는 정도이거나 약간 하락하는 수준에 머무를 것입니다.

금리 인상과 과공급이 동시에 맞물리는 구간은 발생하지 않을 가능성이 큽니다. 공급이 늘어나는 건 적어도 2024년 이후이기 때문입니다. 즉, 금리가 올라간 상태에서 서서히 물량이 늘어나겠죠. 이렇게 금리가 오른 상태에서는 과공급이 이어지기 전 포트폴리오를 가볍게 가져가는 게 좋습니다. 3채 이상을 소유한 다주택자라면 1채 또는 2채로 전환하는 방향으로 포트폴리오를 재구성한다면 닥쳐올 위기의 순간에도 수익을 극대화하며 상당히 안정적으로 위기를 넘길 수 있을 것입니다.

에 필 로 그

공급 부족과 유동성 확대 시기를
대처하는 자세

2020년 3월 COVID-19가 확산되면서 실물경제 위기라는 공포를 만들어냈습니다. 전 세계는 이를 극복하기 위해 미국을 주축으로 유동성을 확대했습니다.

2020년 6월 미국연방준비은행은 2022년까지 제로금리로 동결할 것을 시사했습니다. 또한, 실물경기와 고용이 회복될 때까지 돈 풀기 정책은 계속될 것으로 보입니다. COVID-19가 실물경기에 미치는 악영향이 종결되고, 완전 고용을 이룰 때까지 지속적인 유동성 확대로 경기를 부양하려는 것이 미국중앙은행의 기조입니다.

2020년도 한국 또한 사상 최저 금리인 0.5%라는 저금리로의 인하를 단행했습니다. 또한, 역대 최대의 추경을 집행했으며, 코로나 극복을 위해 2021년 정부는 555조라는 슈퍼 예산을 편성했습니다. 코로나가 종결되고 경기가 회복될 때까지 유동성 확대를 통한 무제한 돈 풀

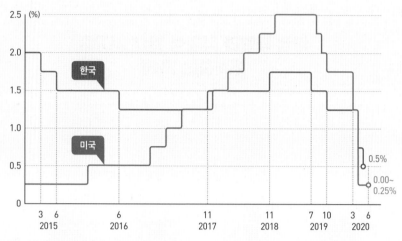

자료 · 한국은행, 미국연방준비제도(Fed)

기 정책은 전 세계적인 기조라고 볼 수 있습니다.

2021년도 7월 현재 미국에서는 유동성을 회수하는 테이퍼링에 관해서 언급되고 있으며, 한국 또한 연내 1~2차례 금리 인상을 예고하고 있습니다. 하지만 코로나 변이 바이러스 감염자 확산 그리고 고용이 생각만큼 늘지 않고 있는 점, 일시적인 인플레이션으로 인한 경기 회복이 예상치보다 낮을 수 있다는 점 등의 이유로 아직은 유동성을 급하게 회수하긴 힘든 시점입니다. 즉, 당분간 시중에 풀리는 돈의 양이 갑자기 줄어들기엔 쉽지 않아 보입니다.

현재 부동산 시장은 실물경기의 악화보다 공급 부족이란 본질적 문제가 남아 있는 상태에서 저금리 기조의 유동성 확대로 시중에 돈이 넘쳐나고 있는 형국입니다. 이에 가장 안전한 자산인 부동산으로 돈이 꾸준히 유입되고 있습니다.

물론 부동산 시장에 돈이 몰릴 수 있는 이유는 현재 상승 흐름이기 때문입니다. 2010~2012년 당시처럼 하락 흐름에서는 유동성이 확대되더라도 부동산에 돈이 몰리지 않습니다. **즉, 반드시 기억해야 할 건 유동성은 상승을 가파르게 만드는 촉매이지, 상승 흐름을 만들지 않는다는 것입니다.**

다시 본론으로 돌아오면, 유동성 확대의 기조가 유지되는 한, 주택가격 상승 폭은 생각보다 높으리라 판단됩니다. 따라서 현시점에서 자산을 모으는 데 발맞추지 않으면 결국 자본주의 시대에서 낙오될 수 있습니다. 상승 흐름 속 유동성 확대는 급격한 상승을 만들며, 이는 있는 자와 없는 자 사이의 자산 격차를 더 크게 벌릴 것이기 때문입니다.

극심한 양극화와 박탈감 등이 사실 걱정되긴 합니다. 주변 지인들만 봐도 몇 년 전에는 개인의 비전이 사회적, 국가적 발전 방향과 일치하는 경우가 많았는데, 현재는 너도나도 투자 이야기가 빠지지 않습니다. 그리고 한참 일해야 할 20~30대 젊은 인재들이 양극화와 박탈감에 시달리며 점점 더 일하기 싫어하고 투자를 통해 자산을 어떻게 늘릴지만을 고민하는 모습도 걱정이 됩니다.

상승이 있으면 하락이 있듯, 이런 심리적인 문제들은 역사적으로 하락기를 맞이하며 일정 부분 상쇄되어왔습니다. 하지만 무서운 점은 부동산 시장이 적어도 2024년까지 상승할 것으로 보인다는 점입니다.

따라서 현 상황에서 이러한 사회 문제들은 더욱 심각해질 것입니다.

모두 각자 상황에 맞게 현 상황을 인지하고 대응책에 관한 고민을 많이 해보면서 낙오되는 일이 없었으면 좋겠습니다. 이 책이 초보 투자자가 부동산 시장을 전망하고 최적의 투자 시점과 방법을 선택하는 데 많은 도움이 되었기를 바랍니다.

꾸준한 가치 상승이 기대되는 수도권 입지

부록 첫 장에서는 꾸준한 가치 상승과 장기간 실거주가 가능한 수도권 입지를 추천하고자 합니다. 특히 아파트를 중점으로 추천 입지를 살펴보도록 하겠습니다.

부동산 시장 방향에 대한 제 전망은 앞서 거의 다 말씀드렸습니다. 따라서 이 부록에서 제가 소개하는 추천 입지가 아니더라도 이 책에 담긴 부동산 시장의 본질과 그동안 쌓은 부동산 공부를 통해 과감히 투자에 나서기를 바랍니다.

또한, 아직 무주택자라면 실거주 가능한 지역을 찾아 늦지 않게 매수하여 비과세 혜택을 보며 자산을 키웠으면 좋겠습니다.

아래 추천하는 입지는 현재 엄청난 저평가를 받으면서 큰 폭의 상승이 예상된다거나 하는 그런 곳은 아닙니다. 지금의 상승 흐름에서 안정적으로 꾸준히 상승할 수 있는 곳들입니다. 그리고 하락 흐름이 오더라도 충분히 가격 회복이 가능하며, 오랫동안 실거주하기에도 좋은 장소만을 추렸습니다.

만약 실거주도 가능한 상황에서 다음의 입지를 매수하신다면, 추후 정말 원하는 곳에 입성하는 데 이곳들이 사다리 역할을 톡톡히 해줄 것입니다. 가격대는 투자를 처음 시작하는 투자자가 부담감을 덜 느낄 만한 곳들로 추리고자 했으나, 개인별 자산에 따라 다소 부담스러운 곳도 있을 수 있습니다.

단, 서울을 제외한 수도권 지역만으로 구성했습니다. 서울은 가격이 그 입지를 증명해주는 만큼, 딱히 추천할 곳을 꼽기 어렵습니다. 본인의 자본 능력에 따라 살 곳을 결정하면 됩니다. 그럼에도 찾아보면 그나마 저렴한 곳은 있습니다. 사실 그런 곳은 그만한 이유가 있습니다. 주변 단지가 없는 나 홀로 아파트이거나 20~25년의 애매한 연차에 접어든 아파트이거나 용적률이 매우 높은 아파트라거나 말이죠. 저는 그런 곳은 추천하지 않습니다. 이런 곳이야말로 서울이라는 이유만으로 거품이 끼기 쉬운 곳이며 하락 흐름으로 부동산 시장이 전환되었을 때 매도도 되지 않을 뿐더러 직접 살기도 어려운 애물단지가 되어버립니다. 서울이라고 모두 좋은 것은 절대 아닙니다.

아파트라는 재화를 구매하는 근본 목적은 거주입니다. 거주 만족도가 떨어지지만 서울이라는 이유로 비싼 가격표를 내민다면, 차라리 경기도 대단지 밀집 지역을 택하는 사람이 많습니다. 왜 지금까지 신도시가 불패를 이어왔는지 생각해보면 답은 간단합니다. 그러니 인서울을 너무 고집할 필요는 없습니다.

고양 일산 신도시

일산은 아직 저평가된 지역 중 하나입니다. 2020년 5월부터 2021년 3월까지 급격한 상승세를 보였지만 저는 아직도 저평가 상태에 머물고 있다고 봅니다.

수도권 서북쪽 끝에 위치하여 강남과 거리가 멀다는 지리적 단점과 지역 내 자체 일자리가 없고 교통이 불편하다는 점 때문에, 일산은 그동안 외면 받아왔습니다. 하지만 이제는 교통의 획기적인 개선이 '확정'된 상태입니다. 현재 대단지 아파트가 형성된 경기도권 중에서 일산은 서울 3대 업무 중심지(강남, 광화문, 여의도) 중 하나인 광화문으로의 출근이 꽤 편한 편입니다. 여기에 여의도, 강남 출퇴근만 확실히 개선된다면 앞으로 교통과 일자리에 대한 단점이 사라지게 됩니다.

이와 관련하여 앞으로 예정된 일산의 호재는 다음과 같습니다.

● 대곡~소사 복선전철

자료 · 국토교통부, 한경닷컴

호재 ① 대곡-소사선 일산역 연장

대곡-소사선은 고양시 대곡역에서 부천시 소사역을 잇는 복설 전
철 노선입니다. 대곡에서 일산역까지 연장은 확정된 상태이며 대곡-
소사선과 동시 개통 예정입니다. 이렇게 대곡-소사선이 개통된다면
일산역에서 김포공항역까지 15분 내외로 도착할 수 있습니다. 과거
일산 주민이 한강 아래쪽으로 넘어가기 위해 경의선을 타고 합정역
또는 홍대입구역에서 2호선으로 환승해야 했던 것과 비교하면, 대곡-
소사선의 개통으로 교통 편의성이 상당히 개선되는 것입니다.

또한, 김포공항역에서 5호선을 이용하면 업무 단지인 마곡역을 두 정거장 만에 갈 수 있게 됩니다. 9호선을 이용하면 여의도역까지 급행 열차를 타고 20분 만에 도착할 수 있습니다. 이것만으로 교통 문제의 개선 효과는 상당하다고 볼 수 있습니다. 대곡-소사선은 한창 공사가 진행 중이며, 2023년 1월 개통 예정입니다. 이미 착공을 시작한 광역 철도인 만큼, 확정된 교통 개선 호재로 볼 수 있습니다.

● 수도권 서북부 광역교통개선 구상(안)

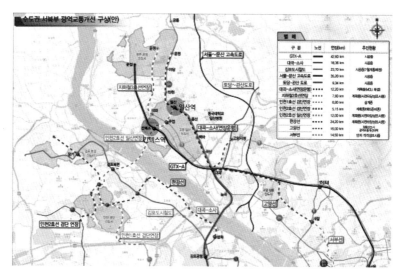

자료 · 국토교통부

호재② GTX-A를 통한 강남 접근성 향상

GTX-A 노선은 강남 접근성이 항상 문제였던 일산에 획기적인 변화를 안겨줄 것입니다. 대표적으로, GTX-A가 들어서면 일산에서 대규모 업무 지역인 삼성역(강남)으로 17분 만에 이동할 수 있습니다.

또한, GTX-A를 통해 대규모 업무 중심지인 판교로의 접근성이 높아지며, 구성(용인플랫폼시티)까지 편하게 갈 수 있게 됩니다. 그만큼 GTX-A는 핵심 일자리가 많은 곳으로 연결되는 황금노선입니다. GTX-A는 2019년 6월 착공했으며 2024년 6월 준공 예정인 확정된 교통 호재입니다.

● 수도권 GTX-A 노선

자료 · 국토교통부, 한경닷컴

여기서 일산의 강점인 학군이 빛을 발합니다. 일산은 경기도에서 세 손가락 안에 드는 좋은 학군과 학원가를 가지고 있습니다. 그 때문에 이러한 일산의 교통 개선은 주변 지역에서의 많은 인구 유입을 발생시킬 것입니다.

부천, 인천, 김포 등에서 인구가 유입되는 것은 당연하며, 서울의 학군이 약한 지역에서도 충분히 유입될 가능성이 있습니다. 예를 들어 은평구만 보더라도, 그전까지 더 좋은 학군을 원한다면 선택지는 목동밖에 없었습니다. 하지만 일산의 교통이 크게 개선될 여지가 있는 만큼, 인근 학군 상급지인 목동으로 가기 어렵다면 일산을 선택하는 사람이 늘어날 것입니다.

● **일산 동구/서구의 아파트 입주 물량**

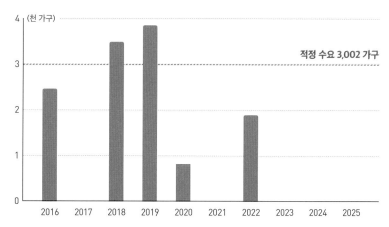

자료 · 아파트실거래가(■ 2021~2025년 사이 입주하는 아파트)

이렇게 교통 개선으로 인한 수많은 신규 수요가 예상되나, 앞으로 일산의 아파트 입주 물량은 2022년도에 예정된 약 2천 세대뿐입니다. 따라서 가격이 오를 가능성이 클 수밖에 없습니다.

이런 교통 호재가 실현된다면 사람들의 인식이 변하는 건 한순간입니다. 2020년 5월 이전만 해도 일산에 투자는 절대 하지 않겠다는 생각이 투자자들 사이에 크게 자리 잡았습니다. 그러나 높은 가격 상승률을 보이며, 일산이 2021년도 1분기 상승률 1위를 차지하니 한순간에 인식이 바뀌었습니다. **따라서 남들이 말하는 현재의 평판에 휘둘리기보다 자신만의 인사이트를 가지고 미래를 내다볼 필요가 있습니다.**

호재 ③ 고양 일산테크노밸리 프로젝트

마지막 호재로는 일자리 창출을 위한 움직임으로, 일산에서는 자체 일자리가 부족한 점을 개선하고자 총력을 기울이고 있습니다. 그중 하나가 '고양 일산테크노밸리 프로젝트'입니다. 이 프로젝트에는 GTX-A 킨텍스역을 중심으로 그 일대에 일산테크노밸리, CJ 라이브

● 고양 일산테크노밸리

자료 · 고양시청

시티, 고양방송영상밸리 등이 예정되어 있습니다. 이에 따라 자체 일자리가 획기적으로 늘어날 전망입니다.

프로젝트에 속한 각각이 모두 굵직한 사업이며, 한국의 미래 먹거리인 '문화'의 핵심을 담당하는 사업인 만큼 그 시너지는 매우 클 것으로 기대됩니다. 2021년 5월 고양방송영상밸리 기공식이 진행되었으며, 올해 안에 CJ 라이브시티도 착공을 할 것으로 예상됩니다.

호재④ 1기 신도시 리모델링 사업

1기 신도시 일산은 이제 새로운 사이클의 시작 단계에 있습니다. 대부분 아파트의 노후도가 30년을 막 넘었거나 가까운 편이며, 평당가도 2천만 원을 넘어섰습니다. 또한, 용적률이 180% 이하인 경우에 재건축이나 리모델링 사업성이 대두되기 시작했습니다.

하지만 재건축은 규제가 심하기 때문에 리모델링이 대세를 이룰 것으로 보고 있습니다.

물론 모든 단지가 리모델링이 되는 건 불가능합니다. 이번 상승장에 20%만 리모델링이 된다고 해도 성공적이라고 봅니다. 일단 한두 단지라도 리모델링에 성공하면, 분명히 주변 단지에 큰 영향을 주게 될 것입니다.

일산 매수 시 평형은 20평 중후반 이상이 좋습니다. 학군지에 속하므로 가족 단위 수요가 많아, 적어도 방이 3개 이상은 있어야 하기 때문입니다. 일산을 매수하고자 한다면 추천 입지는 아래와 같습니다.

① 훗날 GTX-A 노선에 도보 접근 가능한 주엽역 역세권

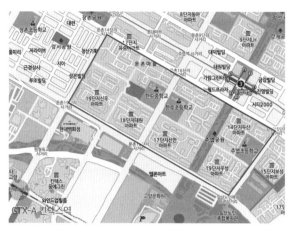

자료 · 서울부동산정보광장

② 경의선 일산역 역세권 + 후곡동 학원가 주변

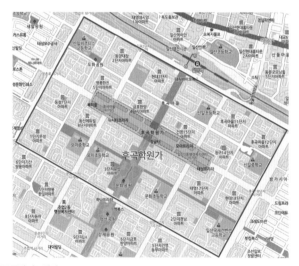

자료 · 서울부동산정보광장

③ 백마역 역세권 + 백마학원가 주변

자료 · 서울부동산정보광장

용인 수지구청역 인근

수지구청역은 이미 가격이 많이 오른 지역이지만, 앞으로도 꾸준한 상승이 가능합니다. 이 지역의 장점은 신분당선을 통해 판교, 강남 접근이 편리하다는 점입니다. 그리고 주변에 굵직한 대기업(삼성전자, 현대모비스 연구소 등)이 들어와 있는 것도 큰 장점입니다. 지금같이 상승 흐름이 계속될 것이기 때문에 대기업 무주택 30대 직장인의 수요가 이어져 꾸준한 가격 상승이 예상됩니다.

또 하나의 큰 장점은 학군이 잘 발달하여, 수요를 끊임없이 만들어낼 수 있다는 점입니다. 주변 학원가 및 인프라가 잘 갖춰진 만큼, 아파트가 노후화된 것만 제외한다면 거주 만족도가 높은 지역으로 꼽힙니다.

추가로 용인플랫폼시티가 계획되어 있어, 일자리 창출 예정이라는 호재를 기대해볼 만합니다. 용인플랫폼시티 중에서 약 44만 제곱미터를 첨단산업용지로 계획하고 있으며, 이는 플랫폼시티 전체 계획 면적 중 녹지를 제외하면 절반이 넘는 면적입니다. 물론 대기업 유치가 중요할 것으로 보입니다.

향후 GTX-A 구성역이 복합환승센터로 자리 잡는다면 굵직한 대기업도 들어올 수 있다고 생각합니다. 대기업이 아닐지라도 현재 8호선 문정역 주변과 같이 수많은 중소기업체가 들어오는 것만으로 일자리

● 경기 용인플랫폼시티

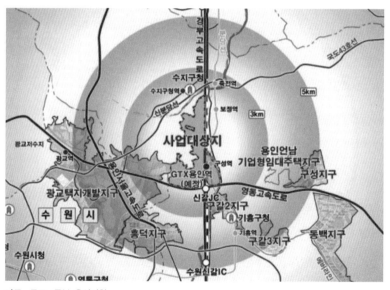

자료 · 국토교통부, 용인시청

확대 효과는 충분하며, 지역 경제 발전과 일대 부동산에 미치는 시너지 효과는 분명할 겁니다.

수지구청역 주변 역시 리모델링 사업이 진행 중입니다. 리모델링 추진 단지로는 풍림아파트, 삼익아파트, 동아아파트, 보원아파트, 한국아파트, 주공 9단지, 현대 성우 8단지가 있습니다.

● 수지구청역 인근 리모델링 진행 중인 아파트
  (왼쪽에서부터 수지현대성우8단지아파트, 주공9단지아파트)

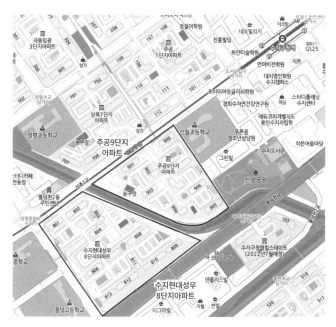

자료 · 서울부동산정보광장

● 수지구청역 인근 리모델링 진행 중인 아파트
  (위에서부터 동아아파트, 삼익아파트, 풍림아파트, 보원아파트, 수지한국아파트)

자료 · 서울부동산정보광장

수원 영통역 인근

영통역 역시 많이 올랐으나 앞으로도 꾸준히 상승 가능할 것으로 봅니다. 영통역 인근은 대부분 아파트로 구성되어 있으며 가장 큰 장점은 삼성전자를 배후 수요로 가지고 있다는 것입니다.

상승 흐름이 이어진다면 무주택 30대 대기업 직장인들의 꾸준한 매수 수요가 발생할 수밖에 없는 곳입니다. 상승 흐름 기간 동안 지속적으로 가격 상승이 일어날 것으로 보입니다.

● 영통역 인근

자료 · 네이버지도

영통역 인근의 투자 포인트는 앞으로 수도권 리모델링 단지가 시세를 주도할 것이라는 점입니다. 이에 리모델링 호재가 있는 단지를 추천합니다. 리모델링 추진 단지로는 신나무실신성신안쌍용진흥아파트,

주공5단지아파트, 태영9단지아파트, 우성8단지아파트가 있습니다.

● 영통역 인근
  리모델링 진행 중인
  아파트

자료 · 네이버지도

● 수원 아파트 입주 물량

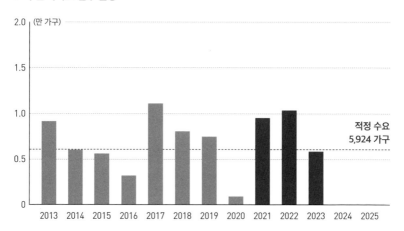

자료 · 아실(■ 2021~2025년 사이 입주하는 아파트)

한 가지 문제가 있다면 앞으로 수원에 예정된 공급 물량이 많다는 것입니다. 2021년도 12월에 약 3,200세대 정도 아파트 입주 물량이 예정되어 있습니다. 그리고 2022~2023년, 두 해에 걸쳐 약 1만 5천 세대가 입주할 예정입니다.

여기서 한 가지 질문을 드리고 싶네요. 앞으로 과공급이 예정되어 있으므로 투자하면 안 되는 걸까요? 충분히 고민해보고 다음을 읽어보시기 바랍니다. 이 책을 통해 부동산 시장에 대해서 잘 이해하셨다면 쉽게 답을 내리실 수 있을 겁니다.

저는 이 책을 통해 거시적으로 수도권(서울·경기·인천)은 물량을 공유한다고 했습니다. 수원은 과공급으로 인해 일시적으로 조정을 받을 수 있어도, 이것은 수도권 상승 흐름과는 전혀 관계가 없습니다. 마찬가지로 수원도 잠시 조정은 있을 수 있지만 상승 흐름을 이어갈 것입니다. 다만, 과공급으로 전세가격이 잠시 흔들릴 수 있으므로 이에 대비하는 건 좋습니다.

하지만 수도권이 공급 물량을 공유하는 특징을 가진 만큼, 전체적인 공급 부족과 함께 전세 물량을 줄이는 여러 정책으로 전세가격은 그리 크게 흔들리지 않을 것입니다. 서울 강동구의 대규모 아파트 입주 때도 전세가격이 흔들리지 않았던 걸 떠올리면 바로 알 수 있습니다. 또한, 수원 분양 당시 미분양도 전혀 늘어나지 않았기 때문에 상승 흐름이 꺾이는 것은 있을 수 없는 일입니다.

남양주 다산 신도시

다산 신도시는 입주를 시작한 지 3~4년 차가 된 지역으로 인프라가 조금은 부족한 상태입니다. 하지만 중형 이상 평형의 대규모 신축 아파트가 들어섰기 때문에, 인프라를 갖추는 것은 시간문제로 보입니다.

일반적으로 신도시가 인프라를 갖추는 데 최소 6~7년 정도 소요되며, 10년 정도가 되면 어느 정도 자리 잡힌 모양새가 나타납니다. 그때가 되면 학군도 지금보다 좋아질 것이며, 현재보다 거주 여건이 좋아질 것입니다. 앞으로 계속될 상승 흐름을 타고 실거주 겸 투자하신다면 충분히 남아 있는 상승 여력을 누릴 수 있을 곳입니다.

● 8호선 연장 별내선 노선도

자료 · 국토교통부

또한, 8호선 연장 노선인 별내선이 2023년 개통되면 암사역에서 시작해 별내역까지 연결될 것입니다. 다산 신도시에는 진건역이 생깁니다. 이를 통해 잠실역으로 직결되는 동시에 2호선 환승도 가능하여 강남 접근성이 획기적으로 개선됩니다. 잠실역까지 20분 내외, 강남역까지 40분 내외로 지금까지의 교통 불편함을 단번에 해결할 수 있는 노선입니다.

● 고속 광역급행철도
  망(GTX) B노선

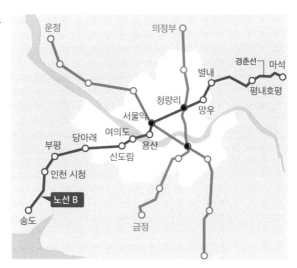

자료 · 국토교통부

또한 8호선 연장 시 다산 신도시 진건역 다음 역인 별내역을 통해 경의선을 이용할 수 있어, 경기 북부에 대한 접근성이 개선됩니다. 큰 호재는 GTX-B가 별내역에 들어온다는 것입니다. 따라서 청량리역에 들어올 광역환승센터를 쉽게 이용할 수 있습니다. 그리고 서울의 대표 업무 중심지인 서울역, 용산역, 그리고 여의도역까지 접근성이 대폭 개선될 예정입니다.

같은 맥락에서 별내 신도시도 추천합니다. 다산 신도시보다 조금 저렴하므로 다산 신도시 투자가 어려운 경우 차선책으로 생각해보시면 좋을 것 같습니다.

인천 청라 신도시

청라 신도시는 이미 대규모 아파트 입주가 끝났습니다. 루원시티에 입주 예정인 물량이 남아 있지만, 큰 영향을 끼치지는 못할 듯합니다.

청라 신도시도 10년 차에 접어들며 주변 인프라가 많이 갖춰졌습니다. 따라서 실거주하기에도 좋은 입지입니다. 하지만 여전히 교통이 불편하고 최근 투기과열지구로 지정되면서 제대로 된 평가를 받지 못하고 있습니다.

급격한 상승은 아니더라도 상승 흐름에서 꾸준한 상승이 예상되며 7호선 연장 시 제 가치를 인정받을 것입니다. 7호선 연장은 1시간 이상 걸리던 강남으로의 접근성은 물론, 가산디지털단지, 구로디지털단지 등 일자리로의 접근성을 개선해줄 것입니다.

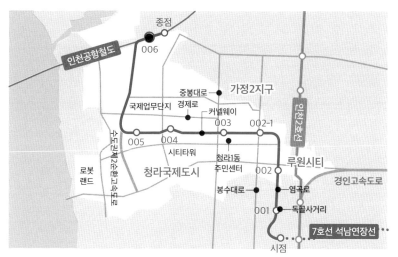

자료 · 국토교통부

 7호선 연장으로 인한 핵심 호재는 인천공항철도 노선인 청라국제도시역을 이용할 수 있게 된다는 것입니다. 청라국제도시역에서 인천공항철도를 이용하면 김포공항역으로의 접근이 용이해집니다. 또한, 김포공항역에서 5호선 환승으로 마곡 업무 단지, 여의도로의 접근성이 대폭 개선됩니다.

 또한, 청라 신도시에는 대형 일자리인 LG전자, 하나금융타운이 이미 들어와 있습니다. 앞으로 국제업무지구, 국제금융단지, 스타필드 청라, 청라복합의료타운, 시티 타워 등 굵직한 호재가 많이 남아 있어 좋은 투자처가 될 수 있다고 생각합니다.

군포 산본 신도시

1기 신도시 산본의 투자 포인트는 3가지로 나눠볼 수 있습니다.

첫째, 6억 대 이하로 진입할 수 있는 아파트가 아직 많다는 것입니다. 이는 주 매수 수요인 무주택자의 사정권에 들어와 있는 것으로, 언제든 매수 수요가 붙어도 이상하지 않은 상황입니다.

둘째, 학군이 준수한 편이며 학원가도 형성되어 있어서 수요가 꾸준히 이어지는 지역입니다.

셋째, 4호선을 이용한 서울 접근성이 좋은 편입니다. 이외의 교통 호재로는 GTX-C를 금정역에서 이용할 수 있어 강남 접근성이 좋아질 입지라는 점입니다.

앞으로 1기 신도시는 리모델링 아파트가 가격을 이끌 가능성이 큽니다. 투자를 원하신다면 리모델링 단지에 주목하는 것이 좋습니다. 리모델링 사업 추진 아파트는 아래와 같습니다.

● **1기 신도시 리모델링 사업추진 현황**(사업단계 조사시점은 2021년 1분기)

구시군	읍면동	구역명	총가구수(가구)	사업단계	입주시기(년)
군포시	산본동	세종주공6단지	1,827	추진위	1994
		우륵주공7단지	1,312	조합설립인가	1994
		백두한양9단지	930	추진위	1994
		개나리13단지주공	1,778	추진위	1995
		설악주공8단지	1,471	추진위	1996
	금정동	율곡3단지	2,042	조합설립인가	1994

자료 · 부동산114

- 산본역 인근
  리모델링 사업추진
  중인 아파트

자료 ·
서울부동산정보광장

- 금정역 인근
  리모델링 사업추진
  중인 아파트

자료 ·
서울부동산정보광장

부동산 관련
참고 자료 보는 법

부동산 투자 공부를 하신다면 각종 사이트와 앱을 이용하실 겁니다. 여기서는 지금까지 책에 소개한 각종 지표를 찾을 때 참고하면 좋을 몇몇 사이트와 앱을 알려드리려고 합니다. 다음 사이트들은 즐겨찾기 해두고 수시로 확인하시면 좋습니다.

KB리브온 홈페이지

KB리브온은 많은 투자자가 주간 아파트 시장 동향을 파악하기 위해 방문하는 대표적인 부동산 관련 사이트 중 하나입니다. KB리브온에서 제공하는 'KB 리브 부동산 시계열' 엑셀 파일은 부동산 투자자라면 필수로 봐야 하는 자료입니다. 매주 전국 아파트 매매가격·전세가격 증감률은 물론, 이를 시계열로 보여주기 때문에 그 추세를 아래와 같이 확인할 수 있습니다.

● 매매가격 증감률(조사기준일 2021.06.21)

금주 상승률 상위

지역	증감률(%)
안성	1.15
시흥	1.11
용인 처인구	1.04
인천 미추홀구	0.90
인천 남동구	0.88
파주	0.86
평택	0.86
인천 동구	0.85
공주	0.80
인천 연수구	0.80

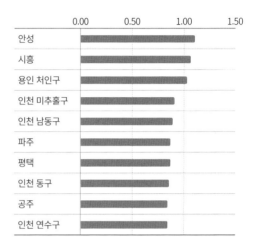

전년말 대비 상승률 상위

지역	증감률(%)
시흥	25.05
고양 덕양구	23.48
동두천	21.67
일산 동구	21.22
인천 연수구	20.44
수원 권선구	20.16
의정부	19.55
안산 단원구	19.28
오산	18.85
의왕	18.61

자료 · KB리브온

● 아파트 매매가격 증감률(전주 대비: %)

구분	전국	서울	강북	강북구	광진구	노원구	도봉구	동대문구	마포구	서대문구	성동구	성북구
2021.04.26	0.32	0.28	0.28	0.70	0.15	0.48	0.39	0.15	0.42	0.08	0.14	0.01
2021.05.03	0.28	0.23	0.21	0.40	0.03	0.27	0.45	0.25	0.19	0.15	0.00	0.13
2021.05.10	0.32	0.28	0.30	0.30	0.10	0.47	0.42	0.19	0.38	0.18	0.13	0.13
2021.05.17	0.28	0.22	0.24	0.10	0.11	0.48	0.42	0.12	0.15	0.11	0.00	0.25
2021.05.24	0.39	0.35	0.33	0.23	0.15	0.58	0.40	0.54	0.35	0.26	0.10	0.08
2021.05.31	0.38	0.37	0.35	0.55	0.13	0.42	0.55	0.30	0.28	0.25	0.39	0.24
2021.06.07	.042	0.38	0.41	0.53	0.22	0.61	0.34	0.36	0.37	0.39	0.21	0.27
2021.06.14	0.39	0.33	0.35	0.05	0.30	0.40	0.11	0.28	0.28	0.45	0.46	0.56
2021.06.21	0.36	0.34	0.34	0.40	0.29	0.62	0.31	0.37	0.37	0.01	0.13	0.34

자료 · KB리브온

KB리브온에서 [주간] KB 리브 부동산 시계열 엑셀 자료를 찾는 방법
은 아래와 같습니다.

① KB리브온 접속
② 왼쪽 위 메뉴 아이콘 '三' 클릭

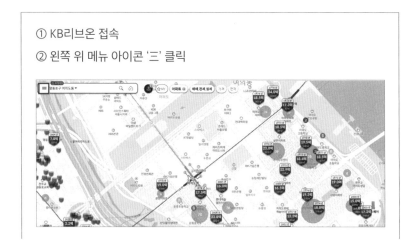

③ 메뉴 하단 화면에서 'KB 통계' 클릭

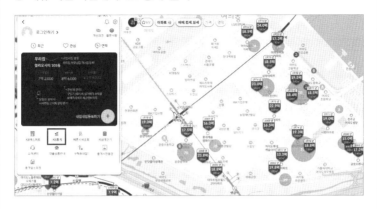

④ '통계/리포트'에서 '주간 KB 주택시장 동향' 클릭

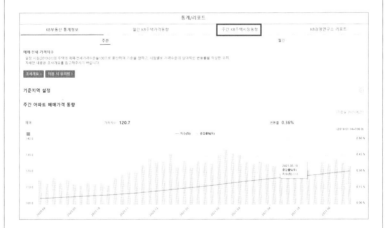

⑤ '[주간] KB 리브 부동산 시계열 클릭'하여 엑셀 파일 열기

국토교통부 홈페이지

다음은 국토교통부 홈페이지에서 보도자료를 찾아 읽어보겠습니다. 국토교통부에서 발표하는 모든 부동산 관련 자료는 꼭 원문으로 여러 번 읽는 것을 추천합니다. 뉴스에서 소개하는 대부분의 정책 관련 보도 자료는 이곳을 출처로 하고 있습니다. 보는 방법은 매우 간단합니다.

① 네이버에서 '국토교통부'를 검색
② 국토교통부 웹사이트 정보와 함께 뜨는 하단의 '국토교통뉴스' 클릭

③ 보도자료 코너에서 원하는 부동산 관련 자료 클릭하여 한글 또는 PDF
로 열람

통계청 홈페이지

통계청 홈페이지에서는 주거 관련 다양한 통계 지표들을 살펴볼 수
있습니다. 자료가 방대하지만 꼼꼼하게 찾아보시면 각자 원하는 통계
자료가 대부분 있을 겁니다. 처음에는 사용법이 조금 어려울 수 있으
나 자주 사용하다 보면 금방 익숙해질 것입니다. 익숙해지는 만큼 통
계청 홈페이지에는 유익한 정보가 많아 활용도가 높은 편입니다.

① 포털사이트(네이버 등)에 통계청을 검색하거나 브라우저 주소창에
   'kostat.go.kr' 입력하여 통계청 접속

② 메인 화면에서 국가통계포털(KOSIS) 하단의 '국내통계' 클릭

③ 주제별 통계에서 '주거' 클릭

④ 원하는 자료 클릭해서 살펴보기

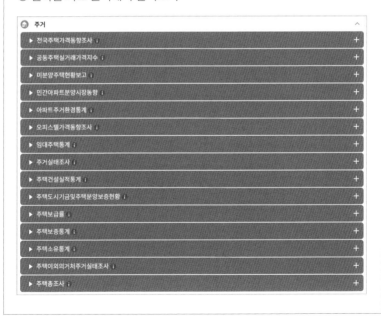

한국부동산원 홈페이지

한국부동산원 홈페이지에서는 부동산 관련 다양한 지표들을 확인할수 있습니다. 저는 통계청에서 찾지 못한 지표를 한국부동산원에서찾기도 하며, 반대로 한국부동산원에서 찾지 못한 지표를 통계청에서찾아내기도 합니다. 통계청과 한국부동산원 두 사이트를 함께 사용하시는 것이 좋습니다.

① 포털사이트(네이버 등)에 한국부동산원을 검색하거나 브라우저 주소창에 'www.reb.or.kr' 입력하여 한국부동산원 접속

② 메인 화면의 'R-ONE 부동산 통계정보 시스템' 아래 카테고리 중 원하는항목 클릭

③ 원하는 자료를 클릭하여 다양한 지표 확인

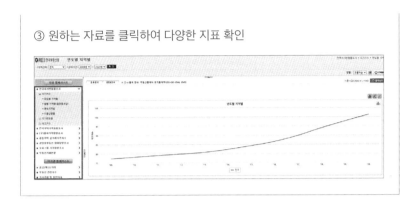

부동산 관련 앱

부동산 앱으로 일상에서 손쉽게 부동산 관련 데이터를 얻을 수 있습니다. 여러 부동산 앱 중에 대표적인 것을 꼽자면, '네이버 부동산', '호갱노노'가 있습니다. 이 두 앱은 기본이라 할 만큼 중요한 부동산 앱입니다. 따라서 이미 많은 사람이 활용법을 잘 아실 거라고 생각합니다. 앱의 장점만 간략하게 설명하자면, 네이버 부동산은 매물 시세(호가)를 보는 데 유용하고, 호갱노노는 실거래가를 확인하는 데 유용합니다.

이외에도 제가 자주 사용하는 앱으로 '아실(아파트 실거래가)'이 있습니다. 공급 물량, 미분양, 매매가격지수, 전세가격지수 등 다양한 정보를 제공하는 앱으로, 이 앱을 통해 웬만한 부동산 분석은 모두 가능합니다. 아실의 기능 중 몇 가지만 소개하겠습니다.

① 공급 물량, 미분양, 가격 변동, 매수심리, 인구변화, 거래량 등 확인 가능

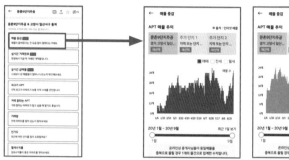
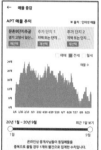

② 아파트별 실거래가 비교 가능

비교하고 싶은 단지 클릭

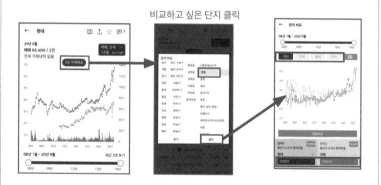

③ 초·중·고 학군 정보 확인 가능

원하는 단지 클릭

아래로 내려가면

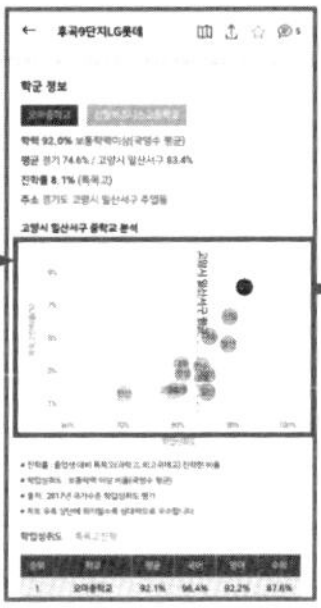

학업성취도 특목고진학

순위	학교	졸업생	과학고	외고
1	오마중학교	454명	10명	27명
2	신일중학교	391명	6명	19명
3	발산중학교	387명	5명	13명
4	대송중학교	233명	4명	8명
5	한수중학교	242명	1명	7명
6	호곡중학교	317명	2명	6명
7	장성중학교	247명	1명	6명
8	대화중학교	205명	3명	4명
9	일산동중학교	307명	2명	4명
10	덕이중학교	220명	1명	5명
11	고양송산중학교	329명	0명	6명
12	한산중학교	245명	0명	4명
13	일산중학교	176명	0명	3명